Сергей Васильевич Рахманинов
(1873-1943)

Воспоминания

Сергей Рахманинов

Биографии Великих Музыкантов

Воспоминания, записанные Оскаром фон Риземаном

Издательство АСТ
Москва

УДК 78.071.1(470)
ББК 85.313(2)6-8
Р27

Rachmaninoff's
Recollections told by Oskar von Riesemann

Перевод с английского, послесловие и комментарии
Валентина Чемберджи

Рахманинов, Сергей Васильевич.

Р27 Воспоминания, записанные Оскаром фон Риземаном / Сергей Рахманинов. – Москва : Издательство АСТ, 2017. – 320 с. – (Иллюстрированные биографии великих музыкантов).

ISBN 978-5-17-097242-5

Сергей Васильевич Рахманинов, к сожалению, не оставил мемуаров, и перед нами фактически единственный подлинный мемуарный документ – рассказ композитора о себе. Книга воспоминаний Рахманинова, записанных Оскаром фон Риземаном, была издана в Лондоне в 1934 году. Со страниц книги звучит голос нашего великого соотечественника, рассказывающего о своем детстве, годах учения, первых шагах в качестве пианиста, дирижера, о драматических событиях и триумфах, сделавших его уже к тридцати годам гордостью и славой России…

УДК 78.071.1(470)
ББК 85.313(2)6-8

ISBN 978-5-17-097242-5

Предисловие

В часе езды от Парижа, вблизи Рамбуйе, восхитительной летней резиденции президента Французской Республики, в лесах которой он вместе с друзьями наслаждается охотой на фазанов, находится маленькое предместье Клерфонтен. Оно славится множеством великолепных ландышей, привлекающих сюда в погожие весенние дни добрую половину парижан. Его окружает стена с высокими воротами — чтобы они отворились, надо позвонить в звонок, которому по меньшей мере сто лет. Через чугунные узоры можно разглядеть угол скромного особнячка. Это «Павильон», загородный дом, где Рахманинов в последние годы проводит лето[1].

Лишь поднявшись на несколько ступенек, ведущих к двери фасада, обращенного в парк, вы поймете, почему своим летним прибежищем композитор выбрал именно Клерфонтен.

Перед домом раскинулся широкий газон, окруженный великолепными древними каштанами и липами, сквозь листву которых можно увидеть теннисный корт, и кажет-

[1] Комментарии к каждой главе даны в конце книги.

ся, что прямая как стрела дорога, окаймленная зарослями бука и серебристыми березами, находится где-то бесконечно далеко отсюда. Вкрапленные в луга и величественные леса пруды оглашаются громким кваканьем лягушек.

— Этот хор я не променяю на самый великолепный соловьиный ансамбль, — говорит Рахманинов.

Кроме лягушек, ничто не нарушает глубокой тишины. Ни одного звука из внешнего мира не доносится сюда из-за стены. Ничто не тревожит природного покоя. Именно здесь, в этом парке, на поляне среди деревьев, толпящихся у ворот, ведя постоянную изнурительную войну с полчищами комаров, я делал свои записи, а Рахманинов прохаживался передо мной и рассказывал. В прекрасных простых фразах, которые тем не менее пульсировали силой, в словах, приобретающих особую наполненность от пронизывающих их эмоций, придающих зримость описанию, он поведал мне прихотливый ход своей жизни.

Никогда прежде я не испытывал такого сожаления оттого, что не владею русской стенографией: боюсь, что неизбежны потери, связанные с вынужденным переводом на английский язык, который мешал мне отдать должное пластичной ясности и спокойной силе высказывания, свойственным рассказчику.

Биографу не часто доводится черпать из такого поистине живого источника. В данном случае я с особой благодарностью отношусь к этой возможности, поскольку она является единственной. Материал, который обычно находится в распоряжении биографов, — я имею в виду письма, рукописи, газетные статьи и тому подобное, мне недоступен. Он остался в Советской России, и его использование исключено. Мне кажется, однако, что вряд ли есть основания расценивать как недостаток или потери абсолютную подлинность личного общения, не говоря уже о том, что отбор материала был полностью предоставлен герою повествования. В биографии ныне живущего человека встречаются факты, небезразличные для чувств других людей, и поэтому некоторые из них вполне могут быть опущены, и, как мне кажется, в таких случаях лучшим судьей может быть субъект повествования. Опущенные главы истории должны быть и, скорее всего, будут рассмотрены в исторической ретроспекции последующими биографами. Я надеюсь, что страницы настоящей книги когда-нибудь существенно обогатятся; вместе с тем представленный здесь материал не нуждается в проверке и, следовательно, может составить основу любой позднейшей биографии Рахманинова.

Почему, чтобы рассказать историю своей жизни, Рахманинов выбрал именно меня? Подходил ли я больше, чем другие, для этой цели? У меня были некоторые преимущества, и они, конечно, сыграли свою роль в том, что Рахманинов охотно откликнулся на мое предложение.

Моя жизнь, немалая часть ее, текла параллельно с жизнью Рахманинова, и первый взлет его композиторской и исполнительской славы произошел на моих глазах. С 1899 по 1917 год я присутствовал на каждом из длинной серии триумфов, сопровождавших первое исполнение его произведений в Большом театре и в концертных залах Москвы.

В 1899 году я поступил в Московский университет, и вскоре мы с Рахманиновым встретились в доме нашего общего друга, княжны Александры Ливен. После окончания курса я остался в Москве, и путь к простому, выкрашенному в желтую краску особняку позади Страстного монастыря на Страстном бульваре стал для меня привычным.

Самое яркое воспоминание, связанное с моей дирижерской деятельностью, — это вечер, на котором Рахманинов во второй раз играл свой Третий фортепианный концерт.

Мы встречались не только в Москве. Когда Рахманинов был в Дрездене, я находился в Лейпциге, где учился под руководством Хуго Римана и Артура Никиша. Всякий раз, когда в «Гевандхаузе» ожидался выдающийся концерт, Рахманинов приезжал в Лейпциг, а если что-нибудь замечательное собиралась предложить дрезденская Придворная опера, он звал меня в Дрезден. Я был обладателем постоянного приглашения на спектакли «Мейстерзингеров» с оркестром под управлением Эрнста фон Шуха — каждый раз меня извещали о дате представления открытками. Во время визитов в город на Эльбе мне выпало счастье присутствовать при истинном рождении клавиров произведений, которые были там созданы, таких как Вторая симфония, Первая фортепианная соната, симфоническая поэма «Остров мертвых», романсы ор. 26[2].

Когда в мае 1907 года я в сопровождении друзей отправился на первый «Русский сезон» в Париже, первым, кого я увидел, сидя в вагоне Северного экспресса, к которому присоединили наш Магдебургский, оказался Рахманинов.

Покинув Россию, я в 1922 году поселился в Германии; композитор по случайности оказался в Дрездене, где я навестил его. Потом я стал частым гостем Рахманинова во Франции. Теперь мы соседствуем на берегу озера Люцерн в Швейцарии.

Всех московских и петербургских музыкантов, которых я упоминаю в этой книге, я знал лично и часто встречал, что, естественно, помогает мне в работе. Надеюсь, мне удалось избежать опасности превратить книгу о Рахманинове в мемуары о себе.

Работая над биографией Рахманинова, я нередко с досадой обнаруживал, что иные даты премьер и других событий, например начала работы над сочинением и окончания его, не помним ни я, ни Рахманинов. Нас спас счастливый случай. В России была опубликована небольшая брошюра В. Беляева «С.В. Рахманинов»[3] — она попала в руки композитора. Замечательная особенность этой небольшой книжки состоит в том, что она содержит точный указатель рахманиновских произведений со всеми датами начала работы и ее завершения, обозначенных на всех рукописях композитора. Видимо, в доме Рахманинова побывали представители каких-то советских организаций и нашли рукописи, которые композитор, покидая Россию, бросил в оставленном доме. Их существование сделалось известным публике благодаря вышеупомянутому Беляеву. В брошюре указаны и даты первого исполнения сочинений Рахманинова; это единственный источник, из которого я черпаю сведения для этой книги.

Ее выходу существенно помогли дружеская и самоотверженная помощь миссис Фриды Крамер из Кастаниенбаума в Швейцарии. Считаю приятным долгом выразить ей свою признательность. Приношу благодарность также свояченице композитора мадемуазель Софи Сатиной, которая поведала мне многочисленные детали семейной жизни, забавные случаи, а также показала фотографии, которые ей удалось захватить при бегстве из

России. Я должен также принести благодарность миссис Лили Дидерикс фон Вогау и господам Дюркоп из Гамбурга, любезно предоставившим мне фотографии Рахманинова и его семьи; я признателен русским музыкальным издателям в Париже и господам Брейткопф и Хертель за их готовность предоставить в мое распоряжение сочинения; и напоследок, но отнюдь не в последнюю очередь, спасибо мистеру Феликсу Айлмеру из Лондона, чья помощь оказалась неоценимой при выпуске английского издания этой книги. Если мой труд встретит желание бесчисленных поклонников и друзей композитора более полно осветить музыкальный путь и становление Рахманинова как художника, она может быть дополнена. Любые сведения, касающиеся музыкальной жизни Москвы конца XIX века, центральной фигурой которой был Сергей Рахманинов, оказались бы, конечно, чрезвычайно полезными.

Оскар фон Риземан

Сент-Никлаузен, близ Люцерна

Осень 1933 года

Дорогой господин Риземан!

С большим интересом прочитал рукопись Вашей книги, и мне хочется поблагодарить Вас за чуткое понимание, с которым Вы передали наши задушевные беседы в Клерфонтене.

Если Вы и переоценили значение некоторых из моих скромных достижений, то уверен, что целиком обязан этим нашей долгой и тесной дружбе.

Верьте, искренне Ваш

С. Рахманинов

Июль 28, 1933

Глава первая
СЧАСТЛИВОЕ ДЕТСТВО
1873–1882

Родители и предки композитора. — Первые воспоминания детства. — Преподавательница фортепиано Анна Орнатская. — Споры родителей относительно будущего их сына. — Пажеский корпус. — Вмешательство судьбы. — Рахманиновы — дети и родители. — Переезд в Санкт-Петербург. — Маленький Сережа поступает в консерваторию.

Василий Рахманинов, сын землевладельца Аркадия Рахманинова и Варвары Рахманиновой, в девичестве Павловой, был капитаном кавалерии[1] и принадлежал к кругам знатной помещичьей аристократии России. Он рано вышел в отставку и женился на Любови Бутаковой, дочери генерала Петра Бутакова, возглавлявшего Аракчеевское военное училище в Новгороде, где он преподавал историю, и Софьи Литвиновой.

Рахманиновы ведут свое происхождение от молдавских «господарей» Драгош, которые управляли Молдовой две сотни лет (с XIV по XVI век). Один из них выдал свою сестру Елену[2] замуж за сына и наследника Великого князя Московского Ивана III, их внуку — Рахманину — обязана семья своей фамилией. Рахманинов, офицер санкт-петербургской гвардии, принимал самое живое участие в восшествии на престол дочери Петра Великого императрицы Елизаветы, за что государыня пожаловала ему имение Знаменское[3] неподалеку от Тамбова. С тех пор Знаменское осталось во владении семьи. Знаменитое тамбовское черноземье — это как бы плодоносный перешеек между Центральной и Южной Россией. Бутаковы же владели землями под Новгородом, на севере Российской империи, — скудными почвой, но богатыми легендами и преданиями.

Василий Рахманинов был блестящим офицером. Необыкновенно привлекательный, среднего роста, широкоплечий, смуглый, с изящными, быстрыми и выразительными движениями, наделенный недюжинной физической силой, он пленял окружающих своим обаянием. Полковой законодатель мод вел довольно рассеянный образ жизни, сорил деньгами направо и налево, отдаваясь в плен разнообразным фантазиям; он легко увлекался несбыточными планами. В его мечтах рождались грандиозные деловые прожекты, которые стоили ему немалых денег и неизменно приводили к полному краху. Будучи человеком музыкально одаренным, Василий Рахманинов растратил свой талант, услаждая изумительным звуком уши светских дам, наигрывая им арии из опер или аккомпанируя на балах. Незаурядный музыкальный дар Василий Рахманинов унаследовал от отца. Дед композитора, спокойный, достойный джентльмен, следуя семейной традиции, молодым еще человеком посвятил себя армии и сражался на поле брани во время Русско-турецкой войны. Но армейская служба нисколько не занимала его. Вскоре он вышел в отставку и удалился в тамбовское имение, которого, в сущности, больше не покидал. Отдавшись своему единственному увлечению — музыке, он, по всеобщему мнению современников, стал выдающимся музыкантом и великолепным пианистом. В молодости он занимался у Джона Фильда, ученика Клементи, добрую половину жизни посвятившего преподаванию музыки в Санкт-Петербурге и Москве. Фильд стал основателем единственной в своем роде традиции фортепианной игры и получил специальный приз за *jeu perlé*[1], которой обучал своих питомцев.

Дедушка Рахманинова также отличался этой изысканной манерой игры. Он относился к музыке с большой серьезностью и отдавал занятиям всю душу. До самого смертного часа он ежедневно занимался по четырепять часов, и никому ни под каким видом не разрешалось отвлекать его от рояля. Даже если бы загорелись его конюшни, а на поля обрушился ураган, он ни на минуту не прекратил бы своего восхождения по «Cradus ad Parnassum»[2]. Иногда удавалось уговорить его поиграть для публики на частном или благотворительном концерте, и это событие всегда становилось праздником для губернии. Дед Аркадий Рахманинов, без сомнения, принадлежал к выдающимся музыкантам-любителям, которых немало насчитывалось в России первой половины XIX века. В эти славные ряды входили Улыбышев, граф Виельгорский, князь Одоевский, князь Шереметев и многие другие. Далеко опередив своих предшественников, вышли из этой касты Глинка, Даргомыжский, а потом уж и Римский-Корсаков, Бородин, Мусоргский.

Любовь Бутакова принесла своему мужу, бывшему кавалерийскому капитану, богатое приданое в виде четырех или пяти великолепных поместий. Должно быть, Васи-

---

[1] Бисерная игра (*франц.*).

[2] «Ступени к Парнасу» — сборник этюдов М. Клементи (1752—1832). — *Примеч. пер.*

лий Рахманинов рано подал в отставку именно потому, что намеревался целиком посвятить себя заботе об этих поместьях — решение, которое в дальнейшем привело, увы, к самым печальным последствиям.

От их брака родилось шестеро детей: три дочери — Елена, Софья и Варвара и три сына — старший Владимир, Сергей и Аркадий, на восемь лет моложе Сергея, — единственный оставшийся в живых брат композитора.

После свадьбы родители Рахманинова поселились в имении Онег в Новгородской губернии. Вместе с ними, в одном из крыльев отдельного особняка, жили дедушка и бабушка Бутаковы. Имение было расположено на берегу той самой реки — реки Волхов, которую прославил Римский-Корсаков в опере «Садко». Русалка, морская царевна Волхова, разлученная со своим возлюбленным, легендарным гусляром Садко, начинает плакать и разливается в реку Волхов, ее серебристые волны бороздят Псковскую равнину и впадают в озеро Ильмень. Окружающая природа отличается таким богатством, настолько живописна, что, без сомнения, не могла оставить равнодушной чувствительную натуру растущего здесь ребенка. Суровый северный пейзаж с его неизменным ритмом наложил отпечаток на душу мальчика и нашел могучее выражение, сообщив убедительность и притягательность будущим сочинениям композитора.

Вот что рассказывает Рахманинов о своем раннем детстве:

— Я помню себя с четырех лет, и странно, но все мои детские воспоминания, хорошие и плохие, печальные и счастливые, так или иначе обязательно связаны с музыкой. Первые наказания, первые награды, которые радовали мою детскую душу, неизменно имели непосредственное отношение к музыке.

Так как моя музыкальная одаренность обнаружилась, видимо, очень рано, мама стала давать мне уроки музыки с четырех лет.

Помню, что, едва я начал заниматься музыкой, дедушка с отцовской стороны выразил желание навестить нас. Мама рассказала мне, что он большой музыкант, удивительный пианист и, может быть, захочет меня послушать. Думаю, она сама решила продемонстрировать деду талант своего сына. Но прежде всего мама посадила меня рядом с собой и занялась моими руками, подстригла и привела в порядок ногти — словом, сделала все, что положено, объяснив, что для игры на фортепиано необходимо ухаживать за руками. Этот поступок произвел на меня глубокое впечатление. Руки моей матери отличались необыкновенной красотой: белые, холеные — пример для нас, детей.

Приехал дедушка, меня посадили за рояль, и пока я играл ему простенькие, из пяти или шести нот, мелодии, он аккомпанировал мне, причем его аккомпанемент показался мне тогда красивым и невероятно трудным. Скорее всего, это было нечто вроде пьес на тему «Собачьего вальса» или «Тати-тати» — шуточных вариаций, сочиненных композиторами «Могучей кучки», среди которых были Бородин, Кюи и Римский-Корсаков. Дедушка похвалил меня, и я очень обрадовался. Это был единственный раз, когда я виделся с дедушкой и играл с ним в четыре руки, потому что вскоре после этого он умер.

Наверное, я делал заметные успехи в игре, потому что, помнится, уже в четыре года меня просили поиграть гостям; если я играл хорошо, то получал щедрое вознаграждение: из соседней комнаты «публика» бросала мне разные приятные вещи — конфеты, бумажные рубли и прочее. Я был в восторге.

В наказание же за скверное поведение меня сажали под рояль. Других детей в таких случаях ставят в угол. Сидеть под роялем было в высшей степени позорно и унизительно. Когда мне исполнилось четыре года, решено было взять учительницу по фортепиано. Ею оказалась некая Анна Орнатская, только что окончившая Санкт-Петербургскую консерваторию по классу профессора Кросса, одного из многочисленных педагогов по фортепиано, приглашенных в первую русскую консерваторию ее основателем, Антоном Рубинштейном.

Анна Орнатская оставалась с нами два или три года, но преподавала мне только игру на рояле. Если не ошибаюсь, у нас были и другие учителя; немецкие *Fräulein* сменялись французскими *Mademoiselles* непременными обитательницами русских усадеб. Хотя ничего определенного на этот счет я не помню, но на основании того, что, став постарше, я изрядно владел французским языком, можно сделать вывод, что все происходило именно так. После того как я научился читать и писать, мне придумали новое наказание за проступки: я должен был полностью проспрягать на грифельной доске, которые были тогда в моде, какой-нибудь неправильный французский глагол. Это наказание, однако, вскоре отменили: оно оказалось слишком необременительным для меня, в таком случае должен же я был у кого-то научиться французскому языку, ведь с родителями мы всегда говорили только по-русски.

Так проходили мои детские годы. Родители часто ссорились. Мы, дети, больше любили отца. Это, наверное, было несправедливо по отношению к матери, но поскольку отец обладал добрым и ласковым нравом, удивительным добродушием и сильно нас баловал, неудивительно, что наши детские сердца неудержимо тянулись именно к нему. Мать, напротив, отличалась чрезвычайной строгостью. Отец большую часть времени отсутствовал, и все домашние обязанности ложились на мать. С самых первых дней мы были приучены к тому, что «для всего есть свое время». Кроме подробного расписания уроков строго определенные часы отводились игре на фортепиано, гулянию, чтению, и только чрезвычайные обстоятельства могли нарушить этот четкий распорядок. Между прочим, с тех пор я усвоил эти правила и теперь твердо придерживаюсь принятого мною дневного распорядка, причем нахожу такую привычку все более и более ценной. Однако в те далекие времена я не мог понять этого и терпеть не мог принуждения.

В своих спорах родители часто касались одной и той же темы: будущего старшего брата и моего. Младший, Аркадий, тогда еще не появился на свет. Отец настаивал, чтобы мы последовали его примеру и служили в армии. Он желал дать нам образование в одном из самых известных и привилегированных военных учебных заведений для гвардейских офицеров — Пажеском корпусе в Санкт-Петербурге. То, что дед по материнской линии был генералом, давало нам право поступить в Пажеский корпус, доступный лишь для избранных. Мать же, в свою очередь, настаивала на моем обучении в Санкт-Петербургской консерватории, хотя не могла ничего возразить отцу в отношении моего старшего брата Владимира. Достойная Анна Орнатская со всем пылом поддерживала мать. Долгое время отец оставался неумолимым, придерживаясь принципа, продиктованного, надо признаться, классовыми предрассудками такого рода: «Pour un gentilhomme la misique ne peut jamais être un métier, mais seulement un plaisir»[1]. Мысль, что сын может стать музыкантом, была невыносима для него, так как потомку знатного дворянина совершенно не подобало заниматься такой «пролетарской» профессией.

Но иногда судьба оказывается сильнее всех предрассудков, и на сей раз именно судьба разрешила спор моих родителей. Когда мне исполнилось девять лет, из всех великолепных поместий, принадлежавших матери, в ее владении осталось лишь одно. Остальные проиграл в карты и промотал мой отец. Пажеский корпус, очень дорогое учебное заведение, отпал сам собой. После того как отец вынужден был удовлетвориться тем, что послал моего брата в обычное военное училище, он заявил о своем согласии на получение мною музыкального образования. Ему пришлось распроститься с надеждами, что в его доме засверкает мундир гвардейца.

Мадемуазель Орнатская с еще большим рвением принялась за мою подготовку к поступлению в Петербургскую консерваторию. Она горела желанием, чтобы я, окончив младшие классы консерватории, поступил в конечном счете к ее бывшему педагогу — профессору Кроссу. Но добрая душа не ограничилась этими планами. Так как наши

---

[1] «Для достойного человека музыка никогда не может быть профессией, но лишь удовольствием» (*франц.*).

денежные обстоятельства от месяца к месяцу все ухудшались, она взялась выхлопотать мне стипендию. На мое счастье и к ее полному удовлетворению, ей удалось и то, и другое. Профессор Кросс обещал обеспечить меня стипендией при условии, что, поступая на «специальное отделение», я пойду в его класс. Младшее отделение я должен был пройти у его ученика Демянского.

План профессора осуществился лишь наполовину по причинам, о которых я расскажу в дальнейшем.

Как могло случиться, что все состояние Рахманиновых, значительно превышающее средний уровень провинциальных российских помещиков, могло прийти в упадок за такой сравнительно короткий срок? Чтобы понять это, надо остановиться на положении землевладельцев в тот период. Отмена крепостного права уже сделала ненадежными их денежные позиции, поскольку лишила дарового труда. Только тщательнейшие расчеты и жестокая экономия могли спасти положение. Этот режим никак не подходил к хрестоматийно прославленной щедрости российского характера. И как нельзя менее согласовался со взглядами на жизнь Василия Рахманинова. Хотя в поместье хозяйничала суровая и благоразумная женщина, никоим образом не склонная к роскоши, он с легкостью пустил на ветер все деньги. Надо добавить, что разорению предшествовала смерть его тестя Бутакова[4] последовавшая вскоре после кончины его собственного отца[5], и он должен был управлять имениями самостоятельно, не имея об этом никакого понятия и не испытывая к сельской жизни ни малейшего интереса. Исключение представляли только лошади. Его помощники, впоследствии уволенные, воровали и мошенничали как только могли, в полное свое удовольствие; в результате прекрасные имения Василия Рахманинова одно за другим пошли на уплату долгов. После долгой и тщетной борьбы за сохранение последнего имения — Онег — оно было пущено с молотка[6].

В 1882 году Рахманиновы переехали в Санкт-Петербург. К тому времени конфликт между родителями, назревавший уже очень давно, достиг своего апогея — они расстались. Развод не был официальным: он повлек бы большие трудности, так как Русская православная церковь не признавала разводов, но родители Рахманинова разошлись навсегда.

Глава вторая
САНКТ-ПЕТЕРБУРГ КОНСЕРВАТОРИЯ 1882—1885

Скромный дом в Санкт-Петербурге. — Развод родителей. — Бабушка Бутакова. — Рахманинов учится у Демянского перед поступлением к профессору Кроссу, выхлопотавшему ему стипендию. — Два первых глубоких музыкальных впечатления: пение сестры Елены и хоры в церквах и соборах Санкт-Петербурга. — Дифтерит. — Смерть сестры Софьи. — Лето в имении Борисово, принадлежавшем бабушке Бутаковой. — На музыкальном небосклоне Санкт-Петербурга появляется звезда первой величины — кузен Зилоти. Мать Рахманинова советуется с ним по поводу безнадежной лени маленького Сережи. — Ответ Зилоти. — Последнее лето в Борисове.

В Санкт-Петербурге госпожа Рахманинова обосновалась в скромной квартире со всеми детьми и своей матерью — вдовой генерала Бутакова, которая полностью взяла на себя расходы по содержанию семьи. Поскольку старший сын Владимир учился в военном училище, Сергей остался в доме за «мужчину».

После привольной жизни в имении, где просторные комнаты и коридоры помещичьего дома давали полную свободу для игр и развлечений, было довольно трудно привыкнуть к тесноте и тишине петербургской квартиры. Кроме того, жизнь в городе омрачалась и отсутствием отца, которого дети обожали больше всех на свете. Госпожа Рахманинова тоже не могла забыть своего мужа, которого любила до последней минуты своей жизни той преданной, самоотверженной и сильной любовью, на которую способны русские женщины. (Она скончалась в сентябре 1929 года в России, так больше и не увидевшись с мужем.) В этот период жизни в Петербурге мать часто плакала вместе с сыном, который горько тосковал по отцу, переживая разлуку с ним со всей пылкостью детского сердца. Но общая печаль не сблизила мать и сына. В противоположность прежнему образу жизни мать почти не уделяла внимания детям, целиком отдавшись мыслям о покинувшем ее супруге.

Все это привело к тому, что ближайшим другом мальчика в доме оказалась бабушка. Он стал ее любимцем; необычайно живой и веселый мальчик не замедлил воспользоваться этим благоприятным для него обстоятельством. Все знают, что такое бабушки! Госпожа Бутакова баловала внука как могла. Она никогда не предпринимала ни малейших попыток воспитывать его, ни мягко, ни строго, не обращала внимания на его недостатки и закрывала глаза на все проделки щедрого на выдумки, озорного мальчика, так как души не чаяла в не по годам развитом и ласковом внуке.

Легко можно представить себе, что такая обстановка не слишком способствовала занятиям — к несчастью, и музыкальным. Пребывая в спокойной уверенности, что, даже не занимаясь, он далеко обгонит своих товарищей по классу, юный Сергей становился все ленивее и ленивее. Кончилось тем, что он вовсе перестал заниматься, увиливая от уроков, и положился на свой талант и сиюминутное вдохновение, ставшее, по его собственным словам, всего лишь способом выражения лени. Так мало-помалу из него вырос маленький проказник — гроза дворов Санкт-Петербурга. Вместо того чтобы идти в консерваторию, он убегал на каток. Пристрастившись к конькам, Сергей скоро превратился в виртуоза конькобежного спорта, чего никак нельзя было сказать о его игре на фортепиано. Другой любимый вид спорта состоял в том, чтобы на ходу вскочить на подножку трамвая — в те времена конки — и прокатиться на ней семь километров по Невскому проспекту. Чрезвычайно подходящее времяпрепровождение, скажете вы, для подающего надежды пианиста, в особенности зимой, когда поручни конки сплошь обледеневали!

Но такая жизнь, лишенная всякого присмотра, имела свои преимущества, до известной степени развив в мальчике чувства самостоятельности и независимости, пригодившиеся ему в трудные периоды жизни.

Несмотря на лень, Рахманинов участвовал в ученических концертах, проходивших в Санкт-Петербургской консерватории. Их часто посещал президент Российского музыкального общества Великий князь Константин и другие лица, занимавшие видное положение в обществе и музыкальном мире. Сергея это обстоятельство нисколько не смущало.

В то время ректором Санкт-Петербургской консерватории, основанной Антоном Рубинштейном в 1862 году, был прославленный виолончелист Карл Давыдов. Сам основатель консерватории уже много лет отсутствовал, концертируя по всей Европе. Он вернулся на пост ректора лишь в 1887 году, после смерти Карла Давыдова. Если бы Рубинштейн оказался в Петербурге на три года раньше, то музыкальное развитие Рахманинова, весьма вероятно, пошло бы по другому руслу. Совершенно ясно, что Давыдов не распознал и не оценил музыкального дарования мальчика, хотя и не упускал случая похвалиться юным пианистом на концертах.

Из событий внеконсерваторской жизни Рахманинов вспоминает два, оставивших глубокий след в его душе.

Самыми изумительными музыкальными впечатлениями не только того времени, но, наверное, и всего детства я обязан своей сестре Елене. Елена была на пять лет старше меня, и когда мы переехали в Санкт-Петербург, ей исполнилось четырнадцать лет. Она была удивительная девочка: красивая, умная, необычная и, несмотря на внешнюю хрупкость, обладающая поистине геркулесовой силой. Мы, мальчики, бывали потрясены, видя, как она играючи гнула пальцами серебряный рубль. Помимо этого Елена обладала великолепным голосом, красивее которого я не слышал за всю свою жизнь. Хотя она ни у кого не училась, но петь могла решительно все, потому что сама природа позаботилась о ее поразительном контральто. Наслаждение, с которым я слушал ее пение, не поддается описанию. Как раз в то время упрочилась известность и популярность Чайковского, впоследствии сыгравшего такую большую роль в моей жизни. Именно сестра впервые ввела меня в мир его музыки, захватившей мою душу. Она часто пела романс «Нет, только тот, кто знал», и, несмотря на ее юный возраст, а может быть, именно благодаря ему, этот романс, равно как и другие, которые она изумительно пела, нравился мне несказанно. Обычно она аккомпанировала себе сама, но иногда садился за рояль я, и результат бывал обычно весьма плачевным, потому что я чересчур увлекался своей партией и не обращал внимания на певицу. Я просто играл в свое удовольствие, вокальная партия меня мало интересовала: пусть следует за мной. Эти попытки совместного исполнения часто кончались тем, что сестра с криком «Пошел вон!» за ухо стаскивала меня со стула.

Хотя мы были бедны, красота и необыкновенные качества сестры привлекали в наш дом множество поклонников. Помню, это очень занимало бабушку. Она посвящала меня в свои мысли, и частенько мы проводили с ней целые вечера, обсуждая достоинства и недостатки этих молодых людей, тщательно взвешивая все за и против.

«Но избранники богов...» Эти слова как нельзя более подходят к судьбе моей сестры, потому что в возрасте семнадцати лет у нее развилась злокачественная анемия, которая принимала все более угрожающий характер. Я помню жуткое чувство, которое испытал, когда она уколола палец и вместо крови из него потекла вода. Ей не довелось встретить свою восемнадцатую весну. За полгода до смерти она начала заниматься пением у знаменитого тогда в Петербурге преподавателя Прянишникова. Уроки заключались в основном в разучивании нескольких оперных арий. Прянишников настоял на том, чтобы она приняла участие в прослушивании, которое устраивали в императорском Мариинском театре — ее голос и исполнение произвели там сенсацию. Елену немедленно ангажировали на сольные партии — честь, которой новички удостаивались чрезвычайно редко. Но, как я уже сказал, она не успела увидеть огни рампы.

За другие сильнейшие музыкальные впечатления того времени я должен благодарить свою бабушку, чья добрая рука незаметно вела меня все годы, проведенные в Петербурге. Бабушка, будучи женщиной глубоко религиозной, регулярно посещала церковные службы. Она всегда брала меня с собой. Целыми часами мы простаивали в изумительных петербургских соборах — Исаакиевском, Казанском и других, во всех концах города. По молодости я гораздо меньше интересовался Богом и верой, чем хоровым пением несравненной красоты — в соборах часто пели лучшие петербургские хоры. Я всегда старался найти местечко под галереей и ловил каждый звук. Благодаря хорошей памяти я легко запоминал почти все, что слышал. И в буквальном смысле слова превращал это в капитал: приходя домой, я садился за фортепиано и играл все, что услышал. За эти концерты бабушка никогда не забывала наградить меня двадцатью пятью копейками — немалой суммой для мальчика десяти-одиннадцати лет.

Это чудесное музыкальное времяпрепровождение не только щедро вознаграждалось, но и приносило огромную пользу, так как благодаря ему зародилась основа исключительного владения композитором техникой и фразировкой русского церковного хорового пения. А именно этому мы обязаны некоторым из лучших сочинений Рахманинова в этом жанре. Все это, увы, не имело отношения к занятиям в Петербургской консерватории. Видимо, педагог Рахманинова Демянский являлся на редкость серой личностью, коль скоро не сумел заинтересовать столь одаренного ученика. Надо признаться, что состав педагогов «младшего отделения» Санкт-Петербургской консерватории нельзя было назвать сильным. Теорию преподавал некто Рубец. Когда девятилетний Рахманинов поступал в консерваторию, а Рубец, убедившись в том, что мальчик безошибочно и моментально определяет звуки самых сложных аккордов, обнаружил у него абсолютный слух, он решил, что Рахманинов не нуждается в курсе элементарной теории (сольфеджио, пение с листа, хор и тому подобное), и сразу направил его в класс гармонии, который вел профессор Ливерий Саккетти, теоретик и преподаватель эстетики и истории музыки Петербургской консерватории. Так девятилетний Рахманинов оказался в теоретическом классе ученого педагога и, не зная азов элементарной теории, хлопал пазами, не понимая ни единого слова во время его лекций. Разумеется, мальчик не в состоянии был восполнить пробел в знаниях, тем более что метод преподавания Саккетти основывался на полном отрицании каких-либо учебников — в счет шли только его лекции, которые студенты должны были заучивать наизусть. Усердные так и делали — но не Рахманинов. Да и трудно ожидать подобного от девятилетнего мальчика. Урок проходил за уроком, не прибавляя ни йоты к его знаниям, которые находились на нуле. В первый же раз, когда Сергея вызвали отвечать, обнаружилось его полное невежество: он не мог ответить ни на один вопрос. Маленький студент пробовал защищаться, он говорил, что еще слишком мал для таких премудростей, и просил — пожалуйста! — оставить его в покое. К великой радости мальчика, в результате этой сцены Саккетти просто-напросто отослал его назад в теоретический класс достопочтенного Рубца. Но и здесь Рахманинов продолжал лениться, уверенный в том, что педагоги высоко оценивают его талант, пока вовсе не бросил Петербургскую консерваторию.

Третий год пребывания Рахманиновых в Санкт-Петербурге ознаменовался для семьи ужасными событиями. На город обрушилась эпидемия дифтерита, и всех детей в семье настигла эта опасная болезнь, поскольку в то время еще не существовало сыворотки Беринга. Мальчики выжили, но Сергей потерял вторую сестру.

К концу этого бедственного года в Санкт-Петербурге, на рубеже 1884 и 1885 годов, обнаружилось, что мать Рахманинова вовсе не так равнодушна к занятиям сына, как могло показаться.

На санкт-петербургском горизонте взошла тогда новая звезда по имени Александр Зилоти. Зилоти было двадцать два года[1]. Выходец из семьи крупных землевладельцев, он учился у Николая Рубинштейна и Чайковского в Московской консерватории, а в период 1883—1884 годов был, как говорят, любимым учеником Листа. В 1883 году он собрал богатый урожай почестей на Музыкальном конгрессе в Лейпциге. В глазах музыкальной общественности и публики Петербурга это окружило его имя ореолом славы, которая, надо сказать, нисколько не померкла после разразившейся в России грандиозной катастрофы. Зилоти был связан с семьей Рахманиновых тесными семейными узами (его мать приходилась сестрой Василию Рахманинову, и, значит, сам Александр — двоюродным братом Сергею).

Именно с Зилоти мать Рахманинова решила поделиться своими тревогами, для чего и привела мальчика к взрослому и уже знаменитому брату. Она рассказала ему обо всех трудностях и попросила совета, как выбить дурь из головы ее, без сомнения, музыкально одаренного сына, чья невероятная лень превратила талантливого ребенка в законченного бездельника. Ответ Зилоти заключался в следующем:

— Единственный человек, который сможет вам помочь, — это мой бывший преподаватель в Москве Зверев. Сергей должен пройти его строгую школу.

Мать Рахманинова смиренно приняла этот приговор. Она решила передать сына в ежовые рукавицы Зверева, в Московскую консерваторию, с начала нового учебного года, то есть со следующей осени.

Теперь мальчику оставалось в последний раз насладиться свободой, прежде чем начать новую, серьезную жизнь.

С тех пор как Рахманиновы переехали в Санкт-Петербург, было условлено, что три месяца каникул, так щедро дарованных в России школьникам, равно как и студентам консерватории, Сергей будет проводить с бабушкой близ Новгорода. Госпожа Бутакова сдалась на многочисленные просьбы любезного ее сердцу внука и в качестве компенсации за четыре или пять поместий, так весело пущенных на ветер ее зятем, купила небольшую усадьбу Борисово.

Те три месяца ничем не стесненной свободы в «божественной обители», которую Рахманинов полюбил больше всего на свете, оказались, безусловно, самым изумительным временем не только петербургского периода, но и всего детства композитора. Борисово, со всех сторон окруженное лугами, полями и лесами, стояло на берегу реки Волхов, впадающей в озеро Ильмень. Здесь Рахманинов наслаждался полной волей и вел восхитительную жизнь, окруженный заботой и бесконечной любовью бабушки, совершенно не стеснявшей его ни в чем. В реке можно было удить рыбу и купаться, и вскоре Сергей стал героем деревенских мальчишек, покорив их своим умением плавать. Иногда он брал лодку и плыл вниз по течению реки в мерцающих сумерках; в высоких речных камышах слышался гомон диких уток, медлительными черными тенями пересекали бледное северное ночное небо длинношеие цапли. Вечерний звон колоколов соседнего Новгорода плыл над деревенской тишиной. Колокола... Это было самое прекрасное. Сергей мог часами сидеть в лодке, прислушиваясь к их странным, призывным, совершенно неземным голосам.

Думал ли он, что в один прекрасный день обессмертит в своей музыке перезвон российских колоколов?

В усадьбе часто запрягали легкую коляску, и внук вез бабушку в соседний монастырь на службу. В этой обители, как и во всей окрестности, бабушка пользовалась всеобщим расположением и уважением. Да и внук тоже был всем известен — и жене священника, и самой скромной монахине, и крестьянину, и звонарю, который, пустив в ход обе руки и обе ноги, искусно манипулировал шнурами, привязанными к бесчисленным языкам колоколов, объединяя звуки в необычные ритмы.

Однако и музыку, хотя Сергей не занимался ею систематически, в Борисове он не забросил. Стоило приехать к ним в гости соседям или самим нанести ответный визит, как Ее Превосходительство, бывало, не преминет удивить восхищенных соседей талантом своего внука и не упустит возможности показать, как внук, пусть и лентяй, умеет играть на фортепиано.

По словам Рахманинова, именно тогда он впервые начал импровизировать. Мальчик пришел к выводу, что разучивание сонатин Кулау и Диабелли вместе с этюдами Крамера, Куллака и прочих авторов, которыми его пичкали в Петербургской консерватории, — тупое и недостойное его занятие; он решил взять дело в свои руки и упорно импровизировал. Полагаясь на низкий музыкальный уровень местного общества, он выдавал свои импровизации за сочинения Шопена и других модных композиторов, явно неизвестных в округе. Его всегда вознаграждали бурными аплодисментами и ни разу не раскрыли сей невинный обман.

Последнее лето, которое маленький Сережа проводил в Борисове, было омрачено тенью надвигающегося отъезда в Москву Чтобы внушить ему необходимое уважение к профессору Звереву, будущему наставнику, учителя обрисовывали его как укротителя диких зверей, который обуздывал их нрав своей строгостью и порол учеников при первой удобной возможности, так что те постоянно дрожали от страха. Эта перспектива внушала страх даже такому храброму мальчику, как Рахманинов. Со смущенной душой он гулял по полям и лесам поместья и, вслушиваясь в колокольный звон новгородского собора Святой Софии, часто вздыхал и думал о кремлевских колоколах, которые ему вскоре предстояло услышать.

Когда роковой день наступил, он в последний раз повез бабушку в монастырь, где отслужили торжественный прощальный молебен.

Потом бабушка повесила на спину внуку ранец, куда положила сто рублей, перекрестила любимца и проводила его до станции. С тяжелым сердцем отправляла она Сережу в Москву на долгое время.

С той поры он лишь однажды видел бабушку — единственного друга его детства.

Вскоре после отъезда Сергея госпожа Бутакова продала имение, которое приобрела только ради него.

Глава третья
МОСКВА. ЗВЕРЕВ И АРЕНСКИЙ 1885—1889

Строгая дисциплина в классе Зверева в Москве. — Зверев и его «мальчики». — Московская консерватория. — Танеев и учителя. — Приезд Рубинштейна в Москву. — «Исторические концерты» и сотое представление «Демона». — Первая встреча с Чайковским. — Музыкальный антагонизм между Москвой и Санкт-Петербургом. — Рахманинов делает переложение «Манфреда» для двух фортепиано. — Лето в Крыму. — Класс по гармонии Аренского. — Первые попытки сочинять. — Заключительный экзамен по гармонии (отношение Чайковского). — Занятия контрапунктом в классе Танеева. — Зилоти как преподаватель фортепиано. — Заключительный экзамен по фортепиано. — Скрябин. — Последний экзамен по классу фуги.

В дождливый августовский день 1885 года двенадцатилетний Рахманинов приехал в Москву. Едва ли мальчик предполагал, что город, которого он так страшился, станет вскоре его вторым домом и предоставит столь щедрые возможности для его художественного развития. Заранее было договорено, что Рахманинов будет не только заниматься у Зверева, фигура которого маячила перед ним, как грозный призрак, но и жить в его доме. Однако он не должен был представиться ему немедленно по приезде и получил трехдневную отсрочку, во время которой мог жить у своей тетушки, госпожи Зилоти, всегда проводившей зиму в Москве.

Между тем, безусловно, стоит пристальнее вглядеться, что же представлял собой будущий наставник Сергея Рахманинова. К концу девятнадцатого столетия Николай Зверев, которому вскоре должно было исполниться шестьдесят[1], являлся одной из самых своеобразных фигур на фоне общественной и музыкальной жизни Москвы. Его музыкальную карьеру определила чистая случайность. История Зверева во многом повторяет судьбу Рахманинова-отца. Подобно Василию Рахманинову, он принадлежал к выходцам из знатной русской поместной аристократии; так же, как он, пустил на ветер несколько превосходных поместий и тоже отличался необычайной музыкальностью. Но талант Николая Зверева пестовали более тщательно. Зверев учился у Дюбюка, который наряду с Виллуаном (учителем братьев Рубинштейн) считался лучшим педагогом по фортепиано в тридцатые-сороковые годы девятнадцатого столетия. Продав свое последнее имение, Зверев получил в Санкт-Петербурге пост в одном из государственных учреждений. Оказавшись проездом в Москве, он встретил своего бывшего учителя. Дюбюк очень обрадовался встрече с учеником, которого высоко ценил главным образом за его незаурядные светские таланты.

— Куда вы направляетесь? — спросил Дюбюк Зверева.

— В Петербург.

— Зачем?

— Я получил место в министерстве.

— По какому случаю?

— Чтобы зарабатывать на хлеб.

— Какое же у вас будет жалованье в Петербурге?

— Сто рублей в месяц.

— Оставайтесь-ка лучше здесь. Я устрою вам на такую же сумму частные уроки.

Зверев остался в Москве и вскоре стал самым труднодоступным и высокооплачиваемым педагогом по фортепиано в древнем городе. Его представили знатным купеческим семьям — московской плутократии, занимавшей роскошные особняки Замоскворечья. Там Зверев и процветал, отчасти благодаря музыкальным способностям, отчасти светским. Его присутствие было обязательным условием во время всех обедов и ужинов, которые давали представители деловых и купеческих кругов Москвы. Ему не было равных за карточным столом, непременной принадлежностью послеобеденного времяпрепровождения в богатых московских семьях. Зверев имел склонность к так называемым «азартным» играм: висту, бостону, преферансу, — но особенной известностью за карточным столом пользовались его изысканные, впрочем, совершенно естественные манеры, нередко производившие большее впечатление, чем миллионные ставки «королей икры». Так как многочисленные уроки приносили ему существенный доход, пополнявшийся крупными карточными выигрышами, он жил на широкую ногу, и это тоже весьма импонировало московским купцам. Но с тех пор, как началась его ослепительная педагогическая карьера, никто не слышал, чтобы Зверев играл на фортепиано. Он предпочитал теорию практике. Судя по большому количеству знаменитых учеников, он был прекрасным преподавателем. Частью для поддержания репутации, частью, несомненно, для собственного удовольствия Зверев постоянно брал нескольких учеников жить к себе в дом. При этом Зверев предпочитал наименее «искушенных», так как стремился сам руководить не только их музыкальным, но и общим развитием. Поскольку он гордился своими учениками и ему доставляло удовольствие появляться в обществе в их сопровождении, он, как правило, приглашал к себе в качестве постояльцев тех учеников, которых отличал или музыкальный талант, или выдающиеся моральные качества, такие как прилежание, честолюбие и тому подобное.

Когда в 1866 году Николай Рубинштейн основал Московскую консерваторию, он в числе первых предложил Николаю Звереву присоединиться к нему в качестве преподавателя фортепиано на младшем отделении. Зверев принял это предложение, почти, впрочем, не уменьшив огромного количества частных уроков.

Таков был облик человека, ставшего учителем Рахманинова. Рахманинов поселился у Зверева вместе с двумя другими мальчиками, Максимовым и Пресманом. Максимов и Рахманинов отличались необыкновенной одаренностью, тогда как Пресман выделялся превосходными душевными качествами. Максимов, обещавший стать одним из самых блестящих русских пианистов, скончался от тифа, не дожив до двадцати лет; Пресман, ставший великолепным педагогом, закончил свою карьеру в качестве директора консерватории, основанной Императорским музыкальным обществом в Ростове-на-Дону, достигнув чрезвычайно высоких результатов.

Но предоставим самому Рахманинову возможность описать первые впечатления от дома Зверева, к которому после трех проведенных у нее дней отвела его тетушка.

Я вошел в дом Зверева со стесненным сердцем, напуганный рассказами о его немыслимой строгости и «свободной кисти», отнюдь не только во время игры на фортепиано. Я понимал, что золотые дни детства и свободы остались позади.

Начиналась жизнь, подчиненная суровой дисциплине и серьезным занятиям. «Семью» Зверева составлял он сам и его незамужняя сестра (Зверев был холостяком), которая вела хозяйство. В будние дни мы почти не видели нашего учителя, потому что он давал уроки с девяти утра до девяти вечера, и всегда вне дома. Так как Зверев вел светский образ жизни, он редко приходил домой после работы, а когда возвращался, мы, мальчики, уже давно были в постелях. Мы имели общую спальню и один рояль на всех троих (что нередко приводило к маленьким трагедиям). Каждый из нас должен был заниматься ежедневно по три часа, что, я думаю, немало досаждало соседям. Сестра Зверева, остававшаяся в его отсутствие полновластной хозяйкой в доме, оказалась довольно неприятной и злопамятной особой. Она строго надзирала за нами, и горе тому, кто начинал заниматься на пять минут позже или вставал из-за рояля на пять минут раньше, чем положено! Об этом сестра аккуратно доносила брату.

Слухи об исключительной строгости Зверева, которыми меня так напугали, оказались сущим вздором. Это был человек редкого ума и огромной доброты, пользовавшийся за эти качества величайшим уважением лучших людей своего времени. Он оказался восторженным поклонником Достоевского, которого знал лично и чьи произведения изучал со всей серьезностью. Но и вспыльчивость его была не менее велика, нежели доброта. Когда он выходил из себя, то способен был наброситься на человека с кулаками и запустить в него чем попало; допускаю, что в каких-то случаях он мог бы без колебаний убить своего противника. Мы, ученики, не раз имели случай убедиться в том, что у него действительно «свободная кисть». Мне досталось от него тоже, четыре или пять раз, но в отличие от остальных не по «музыкальной» части. При этом слова произносились примерно следующие: «Сегодня лень снова привела мальчика к неприятностям». Но в целом Зверев был необычайно чутким, тонким и благородно мыслящим человеком. На фоне консерваторских профессоров, которые, за двумя или тремя исключениями — я имею в виду виднейших музыкантов старшего отделения, — представляли собой бесцветную ординарную посредственность, Зверев выделялся чрезвычайно оригинальным характером. Блестящий ум и живость значительно возвышали его над средним уровнем окружения.

Складывалось впечатление, что он буквально помешался на нас, своих мальчиках. Мне крайне трудно сказать точно, было ли его исключительное обращение с нами связано, пусть бессознательно, с какими-то практическими соображениями. Но так или иначе, вне уроков, которые всегда проходили в консерватории, он обращался с нами как с равными. Должен упомянуть, что он никогда не брал с нас ни копейки — ни за уроки, ни за пансион. Мы жили и учились совершенно бесплатно и никогда, ни при каких обстоятельствах не испытывали в чем-либо нужды. Наше платье, представлявшее собой, как и по всей России, обычную гимназическую форму, состоявшую из кителя со стоячим воротничком и брюк, заказывалось всегда у лучшего портного, который одевал и самого Зверева. Мы не пропускали ни одной премьеры ни в Малом, ни в Большом театрах. Посещали все спектакли с участием иностранных знаменитостей, гастролировавших в Москве. В то время я имел счастье наслаждаться игрой таких звезд, как Сальвини, Росси, Барнай, Элеонора Дузе и других артистов, пользовавшихся мировой славой. Мы вчетвером всегда занимали самую дорогую ложу в бельэтаже. Зверев никогда не брал более дешевых мест, так как и он, и его мальчики были хорошо известны завсегдатаям московских премьер. Надо ли говорить о том, как расширялся наш артистический кругозор с помощью такого метода воспитания. Мы были переполнены незабываемыми воспоминаниями и впечатлениями, особенно от Малого театра, где видели Ермолову и великолепную плеяду таких актеров, как Садовские, Южин, Ленский и другие. Само собой разумеется, что в Москве мы не пропускали ни одного хорошего концерта.

Зверев руководил нашей жизнью так же строго, как музыкальными занятиями. Он придавал огромное значение точности исполнения и был способен выгнать ученика вон из класса за одну неправильную или смазанную ноту; с другой стороны, он испытывал огромную радость от технически безукоризненной игры. Несмотря на благотворный страх, который учитель внушал нам, мы испытывали по отношению к нему не только уважение, но и преклонение, соревнуясь друг с другом в оказании ему разных мелких услуг: например, кто быстрее подаст пепельницу, зажжет сигарету, поможет надеть пальто и так далее.

Зверев не ограничивался тем, что воспитывал нас как пианистов; он прилагал большие старания, чтобы дать нам общее развитие и навыки поведения в обществе — если я не ошибаюсь, он даже заставлял нас брать уроки танцев. Особенное удовольствие мы доставляли ему, показывая образцы воспитанности, умения вести себя в обществе, поддерживать светскую беседу Больше всего он ненавидел неискренность и бахвальство, и малейшее проявление наклонности к тому или другому наказывалось без пощады. В таких случаях проявлялась вся необузданность его деспотической натуры.

Отеческое отношение Зверева к своим воспитанникам простиралось также и на наше интеллектуальное развитие — в особенности его интересовал круг нашего чтения. Мы пользовались полной свободой в его прекрасной и богатейшей библиотеке, но он следил за тем, чтобы наше чтение не заключалось в том, чтобы взять с полки любую книгу и свести ее чтение к приятному времяпрепровождению, — мы должны были как следует обдумать прочитанное и извлечь для себя пользу Никогда не забуду маленькую сценку, причинившую мне страдание, но навсегда повлиявшую на мое поведение в подобных случаях.

Зверев вернулся домой раньше обычного. В тот вечер он находился в прекрасном расположении духа и сел вместе с нами за круглый стол в гостиной. Потом он обратился ко мне:

— Ну, мой мальчик, что ты сегодня читал?

— «Бесы» Достоевского.

— М-да-а. Ты все понял?

— Конечно, понял.

— Чудесно, друг мой. Принеси мне книгу.

Я вскочил и снял с полки книгу.

— Ты помнишь это прекрасное место, где Кириллов высказывает свои идеи относительно смерти?

— Конечно, помню.

Он взял у меня книгу и открыл ее на том месте, о котором говорил.

— Прочти, пожалуйста.

Я повиновался. Когда я кончил, он пристально вгляделся в меня, и легкая усмешка скользнула по его губам.

— А теперь, мой мальчик, расскажи мне о том, что ты прочел.

Я начал было рассказывать, но с каждой фразой запутывался все сильнее и сильнее. Кровь бросилась мне в голову, и я не мог воспроизвести или пересказать идеи Достоевского, которые, наверное, трудно было схватить в моем возрасте.

Не говоря ни слова, Зверев покачал головой. Но этот случай стал мне уроком на всю жизнь.

Разнообразные удовольствия и смена впечатлений не нарушали тем не менее строгого режима нашей жизни. С понедельника до субботы мы прилежно работали, занимались, читали, учили французский и немецкий языки. Утром по воскресеньям Зверев давал уроки нескольким талантливым, но бедным ученикам, которые приходили к нему домой. Я вспоминаю, как однажды в воскресное утро из Московского военного училища[2] пришел маленький кадет примерно моего возраста. Это был Александр Скрябин.

В воскресные вечера мы принимали гостей. Вокруг обеденного стола собиралась компания из пятнадцати-двадцати человек, и нам, конечно, разрешалось сидеть вместе со всеми. Так как Зверев был настоящим гурманом, блюда отличались необыкновенной изысканностью. Среди гостей всегда находилось несколько музыкантов, писателей, актеров, адвокатов, профессоров университета и других известных представителей интеллигентной Москвы. Приходили, бывало, и приезжие знаменитости, представлявшие литературный и музыкальный мир Петербурга. После тщательно продуманного ужина, пока готовили карточные столы, мы должны были занимать гостей игрой на фортепиано.

Зверев любил демонстрировать наши достижения, которые — наверное, не без основания — иллюстрировали его педагогический талант. Часто случалось, что, обедая у кого-нибудь из богатых московских купцов в будний день, Зверев присылал за одним из нас посыльного. Выбор обычно падал на меня. Я приезжал в дом, снимал тяжелую зимнюю шубу, садился за рояль и играл этюды Крамера, Черни или этюд Рейнеке (первая пьеса, которую я сыграл Звереву, когда приехал из Петербурга, и ставшая его любимой), сонату Моцарта или другие вещи. Когда я кончал играть, Зверев обычно говорил в моем присутствии: «Видите, вот как надо играть на фортепиано!» — и обращаясь ко мне: «Можешь отправляться домой». Между прочим, за такое же исполнение этой вещи утром во время урока он кричал при первой же неверной ноте: «И это называется игрой на фортепиано? Убирайся вон!» Я убежден, что эти вечерние выступления его питомцев в чужих домах, несомненно, способствовали увеличению числа частных уроков, хотя вполне возможно, что Зверев не имел этого в виду.

В первый год моих занятий у Зверева в Москву приехал Антон Рубинштейн. Можно себе представить лихорадочное возбуждение и нетерпение, с которыми мы, мальчики, считавшие себя будущими пианистами, ждали этого события.

В то время, спустя несколько лет после Николая Рубинштейна, пост директора Московской консерватории занимал едва достигший тридцатилетнего возраста Сергей Иванович Танеев. Он обратился к Антону Рубинштейну с просьбой оказать честь Московской консерватории и прийти послушать нескольких учеников. Рубинштейн приехал, и в торжественной обстановке, в присутствии всех учителей и учеников состоялся небольшой концерт. Молодые певец и певица исполнили вокальные номера, а я и Иосиф Левин (нам обоим было не то по двенадцать, не то по тринадцать лет) играли на фортепиано. Я играл ля-минорную Английскую сюиту Баха. После окончания концерта Танеев поднялся и от имени всех присутствующих попросил Рубинштейна сыграть что-нибудь, чтобы переполнившие зал ученики смогли хоть раз в жизни испытать наслаждение от его игры. Рубинштейн приехал в Москву не с концертами, он должен был продирижировать сотым представлением своей оперы «Демон» в Большом театре[3]. Но он сел за рояль и сыграл фа-диез-мажорную Сонату Бетховена ор. 78. Думаю, Рубинштейн выбрал эту сонату, одно из лучших произведений Бетховена, из-за того, что она идет всего десять минут. Игра его не произвела на меня того глубокого впечатления, которое я испытал год спустя, когда искусство Рубинштейна покорило мое воображение и, несомненно, сыграло огромную роль в моем пианистическом становлении. Недостаточно сильное первое впечатление могло объясняться тем, что он выбрал не знакомое мне произведение. И кроме того, я был слишком возбужден после своей игры — это притупляло восприятие.

Вечером в доме Зверева состоялся обычный прием. За столом сидели двадцать человек, и среди них мы, три мальчика. В качестве награды за «хорошую игру» утром мне разрешили проводить к столу великого Рубинштейна, придерживая фалды его фрака, — честь, переполнившая меня гордостью. Потом я тихо сидел, не проявляя ни малейшего интереса к еде, и ловил каждое слово Рубинштейна. Помню одно из его замечаний, которое заставило меня задуматься. Входивший в моду молодой пианист — кажется, это был юный д'Альбер — только что дал в Москве и Петербурге несколько концертов, и пресса расточала ему панегирики. Писали, что это единственный достойный преемник Рубинштейна. Кто-то спросил Рубинштейна, слышал ли он этого пианиста. «Да», — последовал лаконичный ответ. Но спросивший не унимался и во что бы то ни стало решил добиться ответа, понравился или не понравился юный пианист Рубинштейну. Рубинштейн откинулся назад, уставившись на него острым взглядом из-под густых бровей, и сказал, как мне показалось, с примесью горечи и иронии: «О, нынче все хорошо играют на фортепиано...»

На торжественном представлении «Демона» в Большом театре, в бенефис знаменитого художника-декоратора и механика сцены Вальца, чья слава распространилась за пределы России, Зверев вместе со своими «тремя мушкетерами» по обычаю занимали ложу в бельэтаже. Я никогда не забуду инцидент, происшедший во время этого спектакля. Рубинштейн дирижировал. Все места были распроданы, зал Большого театра заполнила самая блестящая московская публика, зрители сидели, стояли на галерке — поистине яблоку негде было упасть. Когда во второй сцене поднялся занавес и оркестр заиграл хорошо известный до-мажорный эпизод, которому публика внимала в напряженной тишине, сцена оказалась недостаточно освещенной. Несколько коротких сухих ударов дирижерской палочкой остановили оркестр, погрузив его в полное молчание, и во внезапно наступившем безмолвии, которое воцарилось во всем театре, послышался неприятный скрипучий голос Рубинштейна:

— Я ведь уже просил на репетиции, чтобы на сцене было больше света!

За кулисами явно поднялась суматоха, и вдруг сцену залил ослепительный, почти дневной свет. Рубинштейн невозмутимо поднял палочку, лежавшую на партитуре, и начал заново дирижировать этой сценой.

Это проявление полной независимости перед двухтысячной аудиторией произвело на меня неизгладимое впечатление.

В следующий приезд Рубинштейн давал свои знаменитые «Исторические концерты». Он представил полный обзор фортепианной литературы от Баха, старых итальянцев, Моцарта, Бетховена и Шопена до Листа и современных русских композиторов. Концерты проходили по вторникам в московском Благородном собрании, великолепном здании с белой колоннадой, в одном из лучших концертных залов в Европе. Эти же программы он повторял по утрам в среду и Немецком клубе для студентов, имевших туда свободный вход. Само собой разумеется, что Зверев со своей командой посещал концерты Рубинштейна и по вторникам, и по средам. Благодаря этому я прослушал «Исторические концерты» дважды и каждую среду мог проверить свои впечатления от услышанного накануне. Об этих концертах у меня сохранились изумительные, ни с чем не сравнимые воспоминания.

Ошеломляла не столько его великолепная техника, сколько глубокая, одухотворенная, тонкая музыкальность, наполнившая каждую ноту, каждый такт, который он играл, и делавшая его единственным в своем роде, самым оригинальным и ни с кем не сравнимым пианистом мира. Естественно, и не пропускал ни ноты на его концертах и помню, как потрясло меня его исполнение «Аппассионаты» и си-минорной Сонаты Шопена.

Однажды он целиком повторил финал си-минорной Сонаты, наверное, потому, что был не совсем удовлетворен коротким *crescendo* в конце, которое ему не удалось сделать так, как ни хотел. Я слушал его, завороженный красотой звука, и мог бы слушать бесконечно. Мне никогда не приходилось слышать, чтобы кто-нибудь так сыграл виртуозную пьесу Балакирева «Исламей» или нечто подобное его интерпретации маленькой фантазии Шумана «Вещая птица», отличавшейся неподражаемой поэтической тонкостью: безнадежно пытаться описать *pianissimo* в *diminuendo* в конце пьесы, «когда птица исчезает в своем полете». Таким же неподражаемым был потрясший мою душу образ, который создавал Рубинштейн в «Крейслериане», последний соль-минорный эпизод которой я никогда не слышал в подобном исполнении. Педаль была одним из величайших секретов Рубинштейна. Он сам удивительно удачно выразил отношение к ней словами: «Педаль — это душа рояля». Всем пианистам стоило бы помнить об этом.

Хотя Рубинштейн прожил еще десять лет[4], я никогда не слышал больше его игры, если не считать концерта в Москве, когда он аккомпанировал два своих романса певице Лавровской. Я заметил, что он не смотрел в стоявшие перед ним ноты и отступал от текста; аккомпанируя эти два довольно слабых произведения («Отворите мне темницу» и «Ночь»), Рубинштейн местами импровизировал, и все же он достигал таких ослепительных красот звука, что забыть это нельзя.

Хотя Рахманинов уже в течение первого года занятий под строгим руководством Зверева сделал огромные успехи, его познания в области теории музыки нисколько не увеличились. В Москве, как и в Петербургской консерватории, его освободили от посещения уроков сольфеджио и других связанных с ним предметов. На то была воля Зверева: он хотел, чтобы сначала ученики расширили свой кругозор, связанный непосредственно с их специальностью. Для ознакомления с музыкальной литературой он пригласил пожилую достойную даму, госпожу Белопольскую, пианистку, которая приходила в его дом один раз в неделю на несколько часов и играла на двух роялях с каждым из трех мальчиков. Таким приятным и вдохновляющим способом они познакомились с классической и романтической музыкой, переиграв всю камерную литературу и симфонии Гайдна, Моцарта, Шуберта и Шумана.

Миновал год жизни у Зверева, наступило лето, и Зверев решил сделать для мальчиков еще больше. Он всегда проводил лето в Крыму, в поместье Олеиз, принадлежавшем московскому миллионеру Токмакову, детей которого он учил. На этот раз Зверев снял по соседству маленький домик, где поселил троих мальчиков, и не одних, но поручив их заботам Ладухина, профессора по теории и гармонии из Московской консерватории. Его задача заключалась в том, чтобы за два с половиной месяца его питомцы прошли материал, на который, согласно планам Московской консерватории, отводилось два-три года, а именно курс элементарной теории и начала гармонии.

В конце мая компания отправилась на юг в не типичных для Зверева условиях. Сам он ехал в первом классе, тогда как мальчики вместе с Ладухиным занимали купе третьего класса — явное свидетельство некоторого невезения за карточным столом.

Чтобы совместить занятия по теоретическим предметам с купанием и прогулками, совершенно необходимыми в условиях крымской жары, занятия мальчиков свелись всего лишь к одному часу вдень. Благодаря живости учеников и интересу. проявленному ими к занятиям, Ладухин великолепно справился со своей задачей. Когда ранней осенью мальчики вернулись в Москву, они блестяще сдали экзамен в Московской консерватории и были немедленно зачислены на следующий курс гармонии, который вел известный композитор Антон Аренский.

Одно из условий, на которых Зверев принимал к себе в дом исключительно одаренных учеников, заключалось и том, чтобы они не уезжали на каникулы домой и как можно реже виделись со своими московскими родственниками[5]. Ставя такое условие, Зверев, по-видимому, хотел держать будущих артистов подальше от изнеживающей домашней атмосферы с ее преувеличенной чувствительностью и лаской. Особенно берег он своих учеников от опасного влияния преждевременного восторга перед их талантом.

Что касается Рахманинова, то на него эти ограничения подействовали как нельзя более положительно. Его характер и манера поведения в корне изменились уже в первый год пребывания у Зверева: из буйного, ленивого шалопая, готового на любую шалость, он превратился в спокойного, сдержанного мальчика, со всей серьезностью относящегося к работе. Попадая из зверевского уединения в шумную обстановку консерватории, Рахманинов обращал на себя внимание абсолютным безразличием ко всем проявлениям грубости и непослушания. За ним замечалась только одна особенность, с которой он так и не смог справиться и которая характерна для него даже и сейчас, — я говорю о его совершенно не поддающейся контролю смешливости. Товарищи по классу вскоре обнаружили эту слабость и делали все, чтобы при первой же возможности вызвать у Сергея неудержимый смех. В таких случаях Рахманинов всегда становился «козлом отпущения», потому что все проказы класс сваливал на счет его веселости.

Аренский, композитор, обладавший хорошим вкусом и необыкновенно тонким гармоническим чутьем, не был, по несчастью, хорошим преподавателем. Он не проявлял большого интереса к своим ученикам, отличаясь ленью и вспыльчивостью. Единственным педагогическим приемом, который Аренский считал вполне универсальным, была грубая брань, с которой он обрушивался на учеников, не видя никаких иных способов воздействия на них. Но к Рахманинову, своему признанному любимцу, о чем он и заявил во всеуслышание, Аренский относился совершенно иначе. Он вскоре заметил огромный талант мальчика и проникся к нему глубоким и искренним интересом. Впрочем, это было несложно, потому что юный Сергей с самого начала проявлял самое живое внимание к гармонии, очарованный ее сложностями, и не нуждался в понукании. Трудился он больше и с лучшими результатами, чем мог ожидать учитель. Хотя в работах Рахманинова почти невозможно было найти ошибок, Аренский показывал ему множество разных способов гармонизации мелодии.

Направляя и вместе с тем подталкивая природную изобретательность своего жадного к знаниям ученика,

Аренский щедро раскрывал перед ним богатства своего гармонического дарования и терпеливо помогал ему разбираться в решении сложных гармонических задач, которые сочинял сам.

Позднее Рахманинов неоднократно говорил о том, какую огромную пользу принесли ему занятия по гармонии у Аренского. К концу года Сергей оказался единственным учеником в классе, который мог с легкостью преобразовать двухголосную гармоническую задачу в четырех- или пятиголосную. На заключительном этапе занятий по гармонии Рахманинов показал десять собственных пьес, которые совершенно восхитили Аренского. Обычно оценки за рахманиновские работы колебались между «хорошо», «очень хорошо» и «отлично». На сей раз все десять пьес удостоились оценки «отлично», и трудно сказать, кто был больше доволен — учитель или ученик.

В том же году Рахманинов впервые делает попытки сочинять. Ни он, ни два его товарища, учась у Зверева, никогда не помышляли об этом. Но однажды вечером, сидя за столом под абажуром с зажженной лампой, один из них — не Рахманинов — вдруг обратился к друзьям: «А что, если нам сочинить что-нибудь?» Предложение прозвучало по-детски, ничуть не отличаясь от такого, скажем, призыва: «Давайте залезем под рояль!» или «Не сыграть ли нам в “старую деву”?» Они взяли по нотному листку, и каждый написал свое сочинение. Пресман — восьмитактный «Восточный марш», Максимов — начало романса, а Рахманинов исписал своим красивым почерком две страницы. Это был фа-диез-мажорный этюд, без сомнения opus 1 композитора. Зверев, как и следовало ожидать, пронюхал о новой игре. Он заставил Сергея сыграть ему этюд, и хотя это была вполне традиционная пьеса, лишенная проблесков рахманиновского таланта, в ней оказалось два пассажа, которые поразили опытного педагога своей необычностью и заронили в его душу подозрение — не получится ли из мальчика настоящий композитор? Возможно, он поделился этой догадкой с одним из своих лучших друзей, который с этого момента стал проявлять особенный интерес к развитию Сергея. Этим другом был не кто иной, как Чайковский.

Чайковский часто виделся с юным пианистом у Зверева. Хозяин дома, который, как мы уже знаем, не слишком приветствовал всякие «показы», тем не менее любил иной раз продемонстрировать своих мальчиков самым близким друзьям. Вряд ли следовало ожидать, что он станет прятать блестяще одаренного Рахманинова от Чайковского, который в то время являлся самым крупным музыкальным авторитетом и Москве. Чайковский был частым гостем в доме Зверева, и здесь, после того как Рахманинов сыграл его Ноктюрн, зародилась дружба между мальчиком и всеобщим музыкальным кумиром.

Вскоре, уже будучи учеником Аренского, Рахманинов преподнес Звереву приятный сюрприз. В одном из концертов Императорского русского музыкального общества была впервые исполнена симфония Чайковского «Манфред»[6]. Только что вышла из печати партитура этого сочинения. Каково же было удивление Зверева, когда в один прекрасный день Рахманинов и Пресман позвали его в музыкальный класс и сыграли ему только что сделанное переложение «Манфреда» для двух фортепиано! Вскоре и сам Чайковский оценил это достижение, недюжинное для тринадцатилетнего мальчика. Он одобрил работу юного Рахманинова, испытав при этом смешанное чувство восхищения и удовольствия. Без всякой помощи и чьего-либо руководства мальчик самостоятельно проник во все трудности и секреты чтения партитур и немедленно применил свои знания на практике. Чтобы понять безмерное восхищение Рахманинова Чайковским, год от года лишь возраставшее, необходимо вникнуть в отношения друг к другу российских музыкантов и представить себе соперничество, которое процветало между Москвой и Санкт-Петербургом.

Два города разделял странный антагонизм. Он распространялся на все стороны жизни обеих столиц, но особенно сильно проявлялся в искусстве, в частности, в музыке. Сама по себе эта вражда была совершенно естественна. В Москве жили представители ультраконсервативной земельной аристократии и старинных деловых кругов. Катков и его известная своей реакционностью газета «Русские ведомости» считались выразителями «русского духа», царившего в Москве. Петербург быстро превращался в бюрократическую столицу, став местопребыванием двора и высших правительственных учреждений, гвардии и процветающих чиновников. Петербург заигрывал с «просвещением» в образе западноевропейского интернационализма. В Москве основой жизненного уклада оставались уют и удобства. Там носили длинные бороды и кутались в собольи шубы; там называли императора «царем-батюшкой» и не обсуждали его поступков. В то же время в Петербурге гладко брились, носили расшитые золотом мундиры, вместо сытных обедов затягивали потуже ремни, чтобы купить пару новых перчаток, и говорили о царе «Его Величество». Легко представить себе, с каким высокомерием взирали петербуржцы на патриархальных москвичей и с какой насмешливой иронией относились москвичи к напыщенной поверхностности и пустоголовости обитателей столицы на Неве. Во всех сферах интеллектуальной жизни оба города вели борьбу за первенство. Вражда была более или менее открытой, но иногда переходила в страстную ненависть. В качестве параллели можно привести ревность и соревновательность между Берлином и Мюнхеном в Германии.

Все это относилось и к музыке, и не беда, если бы Москва оставалась оплотом ультранациональной, основанной на русской народной музыке традиции, а Петербург играл роль некоего посредника между Востоком и Западом. Но налицо было нечто совершенно иное. Трудно назвать подлинные причины, но факт остается фактом и объясняет многие явления, характерные для музыкальной жизни России. Все корни антагонизма сводились к личным особенностям, темпераменту и характеру великих русских композиторов, обитавших в каждой из столиц.

Москва признавала одного музыкального бога — Чайковского, который, хотя и окончил Петербургскую консерваторию, вскоре после этого обосновался в Москве и стал профессором Московской консерватории[7]. Это служило ему некоторым прикрытием. В то же время Чайковский должен был бороться за признание в Петербурге, и даже его Шестая симфония, «Патетическая», исполненная впервые в Петербурге за несколько дней до его смерти, имела там весьма средний успех. Музыкальный мир Петербурга продолжал относиться к московским коллегам со снисходительным пренебрежением. Москвичи в свою очередь мстили непризнанием Римского-Корсакова и Бородина; что же касается Мусоргского, то они попросту насмехались над ним, причисляя к дилетантам и грубиянам, да еще и склонным к помешательству.

Эта обстановка, конечно, весьма прискорбная, объясняет многие эпизоды жизни Рахманинова и его музыкального развития. Даже в доме Зверева трех мальчиков настраивали не только на недооценку значения «Могучей кучки», но поощряли к искаженной интерпретации их сочинений, одновременно внушая безраздельное и безусловное преклонение перед московским музыкальным кумиром Чайковским и его немногочисленными пророками, среди которых значились профессора Московской консерватории Танеев и Аренский. Таким образом, Рахманинову с детства внушили, что единственным музыкальным авторитетом, примером для подражания и живым идеалом для начинающего композитора надо считать Чайковского. Именно такую веру он исповедовал в период своего формирования.

1886/87 учебный год имел двоякое значение для Рахманинова как для будущего музыканта. С одной стороны, он закончил младшее отделение по фортепиано, и теперь ему предстояло от Зверева перейти к другому педагогу, консерваторскому профессору. С другой стороны, при поступлении на старшее отделение должна была решаться его композиторская судьба. Согласно правилам, принятым в консерватории, студентам, закончившим второй курс по гармонии, предоставлялся выбор между двумя направлениями в учебе: либо общее музыкальное образование — курс, называвшийся «Музыкальная энциклопедия» и включавший все понемногу: контрапункт, инструментовку историю музыки и так далее (все в гомеопатических дозах), либо специальное «композиторское отделение». Обучение на композиторском отделении было рассчитано минимум на пять лет и построено следующим образом: один год — контрапункт, два года — фуга и два года на свободное сочинение. На это отделение студенты могли поступать лишь по специальной рекомендации совета преподавателей и после сдачи последнего экзамена по курсу второй гармонии[8].

Но послушаем, что рассказывает сам Рахманинов.

На последнем экзамене по гармонии ученикам давали две задачи, которые предлагалось решить без помощи фортепиано. Одна состояла в четырехголосной гармонизации мелодии. По-моему, это была мелодия Гайдна, и я помню ее до сих пор. Второе задание состояло в том, чтобы написать прелюдию, от шестнадцати до тридцати тактов, в заданной тональности, с модуляцией, где должны присутствовать два органных пункта — на тонике и доминанте. Эти органные пункты, конечно, можно было подготовить заранее и во время экзамена транспонировать их в нужную тональность.

Экзамен начинался в девять утра и по времени не ограничивался. До сих пор помню, как волновался за меня Аренский. На сей раз Чайковский являлся почетным членом экзаменационной комиссии, и благодаря этому экзамен носил особо торжественный характер. Ученики один за другим показывали свои листы Аренскому, который, взглянув ин них, каждый раз недовольно морщил лоб и бросал умоляющий взгляд в мою сторону. Все уже сдали работы, один я сидел над своим листом. Я запутался в довольно смелой модуляции своей прелюдии и никак не мог найти верный ход, чтобы выбраться из нее. Наконец, чуть ли не в пять часов, я закончил и отдал странички Аренскому. Как и в других случаях, он бросил беглый взгляд на первую страницу, но не поморщился. Я набрался храбрости и спросил, что это значит. Аренский улыбнулся: «Только вам удалось уловить верный ход гармонического изменения».

После этого утешительного сообщения я, полный надежд, отправился домой.

На другой день назначено было решающее испытание — мы представляли экзаменационной комиссии свои сочинения. Среди профессоров за столом, покрытым зеленым сукном, сидел Чайковский. Высшая оценка, пятерка, в особых случаях могла быть дополнена плюсом. Я уже знал, что мне поставили такую оценку. Наступила моя очередь играть, и когда я кончил, Аренский обратил внимание Чайковского на то, что накануне я оказался единственным учеником, который во время экзамена написал двухчастные «песни без слов», и предложил ему их послушать. Чайковский в знак согласия кивнул, и так как я помнил свои песни наизусть, то сел и сыграл их. Когда я закончил, Чайковский встал, взял экзаменационный журнал и что-то в нем пометил. Лишь спустя две недели я узнал, что он сделал: к моей отметке он прибавил еще три плюса[9], сверху, сбоку и снизу. Эта пятерка с четырьмя плюсами — в истории консерватории такого еще не бывало, — конечно, вызвала много разговоров, и слухи об этом происшествии распространились но всей Москве. Но, как я уже говорил, до меня известие дошло лишь через две недели. Мне ничего не говорили, опасаясь, наверное, что я зазнаюсь. Но Аренский все-таки выдал секрет.

Вопрос о фортепианных занятиях Рахманинова разрешился следующим образом. В это время на старшем отделении консерватории классы фортепиано вели Павел Пабст[10], бывший ученик Листа, и Василий Сафонов[11], выпускник Петербургской консерватории по классу Лешетицкого. Оба были не только великолепными пианистами, но и выдающимися педагогами, о чем свидетельствует блестящая плеяда пианистов, выпущенных ими с 1890 по 1914 год. Осенью 1887 года к ним присоединился и третий, Александр Зилоти, которого консерватория пригласила по рекомендации его бывшего педагога Зверева. Согласно установленным в консерватории правилам, студенты были вольны сами выбирать педагога для продолжения занятий по фортепиано. Зверев, заинтересованный в том, чтобы у Зилоти появились талантливые студенты, уговорил трех своих питомцев отдаться в руки бывшего «любимого ученика Листа», чья педагогическая репутация была не столь блестящей, поскольку ее попросту не существовало.

Сафонов, знавший об огромном таланте Сергея Рахманинова, счастлив был бы иметь его среди своих учеников и поэтому не слишком обрадовался выбору юноши. С тех пор его отношение к пианистическому развитию Рахманинова нельзя назвать вполне благосклонным. Когда вскоре после упомянутых событий Сафонова назначили директором Московской консерватории и он стал оказывать большое влияние на музыкальную жизнь Москвы, это обстоятельство не раз сказывалось на судьбе Рахманинова. Конечно, его гений был слишком велик, чтобы в своем победном марше встретить какие-нибудь существенные препятствия, но более благожелательное отношение Сафонова могло бы, безусловно, устранить немало трудностей с его пути.

Танеев, ставший теперь ответственным за развитие Рахманинова-композитора, представлял собой одну из выдающихся личностей московского музыкального мира конца XIX века. Он был не только по-настоящему крупным композитором, оцененным по достоинству на родине и за рубежом, увы, только после смерти, но и играл огромную роль в жизни музыкальной Москвы. Он воспитал несколько поколений композиторов и в период их становления служил им путеводной звездой в музыкальном искусстве. Даже в Москве, богатой исполненными благородства личностями, этот истинно высокий жрец своего искусства оставался редкостью. Одержимый духом непрестанных исканий, Танеев имел собственные яркие философские воззрения, отличаясь в то же время удивительным душевным целомудрием, чистотой и трогательной скромностью в жизни. При всем том он сохранял все особенности истинно русского характера.

Как я уже говорил раньше, московские музыканты под руководством Чайковского ревниво оберегали традиции великих эпох западноевропейской музыкальной культуры. Даже после того, как в 1866 году Николай Рубинштейн, младший и менее знаменитый, хотя, быть может, не менее талантливый брат Антона Рубинштейна, основал Московскую консерваторию, это осталось незыблемым каноном, который не только соблюдался, но и всячески поощрялся многочисленными немецкими педагогами, такими как Губерт, Гржимали, и другими. Их пригласил в Московскую консерваторию Николай Рубинштейн. Танеев оставался одним из самых горячих поборников западной традиции. По его мнению, музыка началась с нидерландских контрапунктов и была продвинута Палестриной, Орландо Лассо и Бахом (перед которым он преклонялся и чьи произведения изучил досконально), затем Моцартом и Бетховеном, немецкими мистерами Шубертом и Шуманом, а от них дорога прямиком вела к Чайковскому. До самой смерти Танеев мало внимания уделял Вагнеру и вовсе не обращал внимания на так называемую «Русскую школу» в Санкт-Петербурге, представленную Римским-Корсаковым, Балакиревым, Бородиным и Мусоргским. По его просвещенному и строгому мнению, их можно было назвать всего лишь любителями; конечно, очень талантливыми, но все-таки дилетантами, не ведающими основного условия красоты музыки — контрапункта. Танееву понадобилось немало времени, чтобы признать Римского-Корсакова и Бородина. Его отношение к Мусоргскому осталось неизменным, а всемирный успех «Бориса Годунова» он приписал исключительно редакции Римского-Корсакова.

Танеев, подобно большинству великих русских музыкантов, происходил из земельной аристократии. Его дядя, Александр Танеев, имел маршальский чин при дворе, был начальником царской приемной, а также отцом Анны Вырубовой, фрейлины последней императрицы. Танеев унаследовал традиции Николая Рубинштейна и Чайковского. К этому времени его отношения с Чайковским изменились, поскольку Чайковский вынужден был признать полное превосходство своего ученика во всем, что касалось музыкальных познаний, и в особенности контрапункта. Танеев считал, что совершенное владение свободным сочинением зависит от досконального знания контрапункта в строгом стиле, свойственном нидерландской школе и ее итальянским последователям. Именно этого он добивался от своих учеников и требовал от них, чтобы они долгие годы занимались исчерпывающим проникновением во все тайны и хитросплетения строгого стиля и контрапункта. Судя по собственным сочинениям Танеева, которые ни в коей мере не отражают его воззрений и не отличаются соблюдением его неукоснительных требований, никому и в голову бы не пришло, что он изучил самые сложные формы контрапункта и легко мог бы соревноваться в этом искусстве с Окегемом или Жоскеном Депре; или, например, что он — автор книги «Подвижной контрапункт строгого письма»[12], насчитывающей тысячи страниц, или другой, еще более объемистой, о каноне и всех его формах, которая не напечатана и по сей день[13]. В самом деле, какую же пользу могут принести рыцарям современной музыки законы строгого стиля?

Когда Рахманинов окончил курс гармонии, Танеев уже передал руководство Московской консерваторией Сафонову[14] и оставил себе только ведение специального класса по контрапункту.

Одновременно с Рахманиновым, которому исполнилось в ту пору четырнадцать лет, в консерваторию поступил и Александр Скрябин, чуть постарше Рахманинова, ставший учеником Сафонова по фортепиано[15].

Рахманинов рассказывает:

«Осенью 1887 года, проведя лето в деревне у родных, я вернулся в Москву и снова остановился у Зверева, потому что, хоти я уже и не был его учеником, он попрежнему наблюдал за моим музыкальным образованием. Зверев оставался таким же строгим, как и раньше, и не давал ни малейшего послабления двум другим ученикам. Что же касается меня, учитель иногда проявлял снисходительность, и я почувствовал, что он немного отпустил вожжи. К несчастью, я не испытывал ни малейшего интереса к контрапункту в строгом стиле, ко всем этим имитациям и обращениям, увеличениям, уменьшениям и другим украшениям в *cantus*[1].

Я находил все это смертельно скучным, и самые восторженные похвалы и красноречивые речи высокочтимого Танеена не могли склонить меня к другому мнению. То же самое испытывал и мой одноклассник Скрябин. В нашем классе учились пять человек: два немца — Лидак и Вайнберг (тромбонист и фаготист), Скрябин, я и еще кто-то, чья фамилия улетучилась из моей памяти. Оба немца занимались с ужасающим упорством и прилежанием и всегда приходили в класс с тщательно приготовленным домашним заданием. Не то что я и, должен признаться, Скрябин. Мы все чаще и чаще пропускали уроки, а когда наконец появлялись в консерватории, то, как правило, не выполнив задания. В качестве извинения мы ссылались на занятия по фортепиано, которые якобы совершенно не оставляли времени для изучения контрапункта. Танеев страшно огорчался нашей лени. Так как он не умел быть строгим и еще менее того мог браниться, он взывал к нашей совести, просил, умолял изменить наше поведение. Но все было напрасно. *Cantus firmi* оставались нетронутыми, а мотеты несочиненными. Тогда добрейший Танеев решил прибегнуть к другим мерам. Он обратился за помощью к Сафонову. Может статься, Сафонов и сам не признавал такой необходимости и значения контрапункта и строгом стиле или доверял нашему здравому смыслу: во всяком случае, он обошелся с нами весьма милостиво. Вместо того чтобы

---

[1] *Cantus firmus* — *букв.*: сильное, твердое пение, неизменная мелодия (*лат.*) — в XV—XVI вв. тема крупного хорового произведения, заимствованная композитором из бытующих напевов или сочиненная им и служащая основой музыкальной формы. — *Примеч. пер.*

выбранить и сурово нас наказать, он прибег к ласковым отеческим увещеваниям, и посему его поучения не возымели никакого действия. Позднее, когда я переехал от Зверева к своим родным — Сатиным, — Танеев сам придумал странное, но абсолютно действенное средство, которое привело нас в чувство и заставило выполнять задания. На клочке нотной бумаги он писал тему и присылал ее к нам домой со своей кухаркой. Кухарке было строго-настрого приказано не возвращаться, пока мы не сдадим ей выполненные задания. Не знаю, как подействовала эта мера, которую мог придумать только Танеев, на Скрябина; что касается меня, он полностью достиг желаемого результата: причина моего послушания заключалась в том, что наши слуги просто умоляли меня, чтобы кухарка Танеева как можно скорее ушла из кухни. Боюсь, однако, что иногда ему приходилось долго ждать ужина.

Было и еще одно обстоятельство, которое подействовало на мое настроение и пробудило во мне прилежание. Я впервые услышал о «Большой золотой медали», самой высокой награде, присуждаемой студентам Московской консерватории. Ее удостаивались только те из них, кто сдавал последний экзамен по обеим специальностям с высшими оценками. Так как я был очень честолюбив, то решил во что бы то ни стало получить «Большую золотую медаль». Это решение незамедлительно сказалось на моих занятиях контрапунктом в строгом стиле. Весной 1890 года я с успехом перешел в класс фуги. Для этого мне пришлось провести в полной изоляции два дня, с девяти утра до девяти вечера, и написать шестиголосный мотет с каноническими модуляциями на данный *cantus firmus* с латинским текстом. Мне снова поставили пятерку, и на следующий год Сафонов исполнил это небольшое сочинение, которым я продирижировал.

Скрябин и оба немца тоже хорошо сдали этот экзамен, так что осенью 1890 года мы снова все вместе оказались в классе фуги у Аренского. Насколько Аренский был хорош в преподавании гармонии, предмета совершенно ему близкого, настолько несостоятельным он оказался в фуге. Ничего не объясняя, он постоянно отсылал нас к фугам Баха, в построении которых мы не могли разобраться. Так как у нас не было никаких знаний, я проявил полную тупость в написании фуг, забросил это занятие и возвратился к своей обычной лени. То же самое произошло и с моими одноклассниками. Этот год ознаменовался тем, что мои усилия в области сочинения увенчались жалкой тройкой, и это обозначало, что моя работа была расценена всего лишь как удовлетворительная. Такого в консерватории со мной еще никогда не случалось.

Но тут на помощь подоспела судьба. Аренский заболел, и Танеева попросили взять его класс.

Так получилось, что незадолго до конца семестра в нашем классе фуги появился Танеев. Мне очень жаль, что он дал мне только два урока. Однако из этих двух уроков я почерпнул больше, чем за весь предыдущий год. Танеев начал занятие с удивительного вопроса: «Вы знаете, что такое фуга?» Еще более удивительным было молчание, воцарившееся в ответ. Тогда он сел, и не за кафедру, а за обыкновенный стол, среди нас, и на двух больших нотных листках набросал бесчисленные примеры тем фуг и ответов на них из его собственных произведений и из классики. Для меня это было откровением. Именно тогда, впервые, я начал понимать, что представляет собой фуга и какие знания требуются для того, чтобы написать ее. Предмет оказался настолько увлекательным, что я начал работать над фугой с огромной радостью.

В это время между Сафоновым и Зилоти произошли жестокие разногласия. Ссора становилась все более острой и привела к тому, что Зилоти подал прошение об увольнении и принял решение не возвращаться в Москву на следующую осень[16]. Курс по фортепиано был рассчитан на четыре года, так что мне оставалось заниматься по крайней мере еще один год. А поскольку у меня не было никакого желания заниматься с другим педагогом и привыкать к новым методам, я принял героическое решение. Я пошел к Сафонову и сказал ему, что буду держать экзамен по фортепиано в нынешнем году. К моему великому удивлению, он согласился — ведь я учился не у него и он не был заинтересован во мне как в пианисте. Он даже намекнул, что я рожден не для этого.

«Я знаю, — говорил он мне не однажды, — что ваши интересы в другом», — имея в виду, очевидно, композиторское поприще.

Как бы то ни было, мне дали экзаменационную программу: Сонату Бетховена (Вальдштейн)[1] и первую часть си-минорной Сонаты Шопена. К моему собственному, равно как и Зилоти, удивлению, я выдержал экзамен с отличием. Таким образом, я получил следующую оценку, которая вела меня к «Большой золотой медали».

К несчастью, экзамен по классу фуги, бывший переводным в класс свободного сочинения, проходил в один

---

[1] Соната Бетховена № 21 ор. 53, известная как «Аврора», посвященная графу Вальдштейну. — *Примеч. пер.*

день с экзаменом по фортепиано. Но консерватория пошла мне навстречу, и я получил разрешение сдать экзамен на день позже, так что три моих одноклассника отправились в заточение без меня. Тема фуги была чрезвычайно запутанной. Найти правильный ответ оказалось тем более трудно, что возникла неясность, была ли это *fuga reale* или *fuga de tono*. Аренский считал, что все экзаменующиеся ответили неправильно. Мне, однако, снова повезло. Возвращаясь после экзамена по фортепиано домой, я заметил, что передо мной идут Сафонов и Аренский, погруженные в ожесточенный спор. Поравнявшись с ними, я услышал, что речь идет именно об этой фуге. Как раз в этот момент Сафонов стал насвистывать ответ, который он считал правильным. Во время экзамена на следующий день я удивил Аренского, правильно построив ответ. Результат оказался тот же, что и на экзамене по фортепиано: пятерка с маленьким плюсом»[17].

Небезынтересно, что Александр Скрябин не выдержал переходного экзамена из класса фуги в класс свободного сочинения. Однако ему разрешили учиться в классе свободного сочинения при условии, что к осеннему экзамену он представит шесть безошибочно решенных фуг, которые ему нужно было написать за летние каникулы[18]. Этот инцидент показывает те исключительно строгие требования, которые предъявлялись к студентам Московской и Петербургской консерваторий. Можно было не сомневаться, что обладатель диплома «Свободный художник», выпущенный из любого из этих учебных заведений, был настоящим музыкантом и знал свое дело.

Глава четвертая
СЕРЬЕЗНОЕ ПЕРЕЖИВАНИЕ. МОСКОВСКАЯ КОНСЕРВАТОРИЯ 1889—1892

Разрыв со Зверевым. — Жизнь у Сатиных. — Слонов. — Лето в имении Сатиных в Тамбовской губернии. — Тяжелая болезнь в Москве осенью 1891 года. — Последствия болезни. — Первый концерт для фортепиано. Досрочное окончание консерватории. — Экзамен и сенсационный успех Рахманинова. — Примирение со Зверевым. — «Большая золотая медаль». — Появление издателя Гутхейля. — Премьера оперы «Алеко» — экзаменационного сочинения Рахманинова — в московском Большом театре.

— Я должен рассказать об очень тяжелом событии в моей жизни, которое я мучительно переживал, — продолжает Рахманинов.

За годы ученичества ничто всерьез не омрачало моих отношений со Зверевым. Я всегда относился к нему с большим уважением, и восхищение, которое я испытывал по отношению к нему, за годы жизни и учения в его доме нисколько не ослабевало. Зная его горячий нрав, я, конечно, всегда старался проявлять такт. Он, в свою очередь, как будто любил меня и не один раз проявлял ко мне не свойственную ему снисходительность.

Мальчиком я не обижался на него за редкие случаи рукоприкладства, тем более что они никогда не были связаны с музыкой. Но я рос, мужал и становился более чувствительным; однажды — мне было тогда шестнадцать лет — между нами произошла жестокая ссора, окончившаяся полным разрывом.

Чем глубже я проникал в тайны сочинения, гармонии и других предметов, составлявших технику композиции, тем более привлекательными они становились для меня, тем больше мне хотелось заниматься ими. Между тем заниматься в полную силу я мог далеко не всегда, поскольку учебная комната, как правило, бывала занята кем-то из учеников. Я принял смелое решение и однажды вечером — это было в октябре 1889 года — взял быка за рога. Не думая о возможных последствиях, я обратился к Звереву с просьбой. Я сказал ему, что хотел бы иметь отдельную комнату и предназначенный только для меня рояль, чтобы иметь возможность заниматься контрапунктом и композицией когда и сколько угодно. Я спросил Зверева, может ли он помочь мне купить инструмент. Наша беседа началась спокойно и протекала в совершенно мирных тонах до тех пор, пока я не произнес какие-то слова, мгновенно его взорвавшие. Он тут же вскочил, закричал и швырнул в меня первым попавшимся под руку предметом. Я оставался совершенно спокойным, но тем не менее подлил масла в огонь, сказав, что я уже не ребенок и что тон его разговора со мной нахожу неподобающим. Завершилась вся эта сцена просто позорно.

Я прожил у Зверева еще месяц, но почти не встречался с ним и не делал попыток к примирению. В течение того месяца мы не сказали друг другу ни единого слова; в один прекрасный день он подошел ко мне и своим обычным, не допускающим возражений тоном назначил встречу вечером на каком-то московском бульваре. Его авторитет для меня был по-прежнему настолько велик, что мне и в голову не пришло ослушаться. В назначенный час я явился в указанное место. Пришел Зверев и, не удостоив меня ни единым словом, пошел н направлении, которое меня несколько озадачило. Наконец мы дошли до дома моих родных, Сатиных, которых, согласно предписаниям Зверева, я за четыре года посетил лишь дважды. Там, по-видимому, нас ждали, так как в гостиной собрался весь семейный совет. Атмосфера царила торжественная. Когда мы сели, Зверев произнес небольшую речь в достойной и, я бы даже сказал, деловой манере. Содержание ее сводилось к следующему. Он находит, что ввиду несходства темпераментов наша дальнейшая совместная жизнь под одной крышей представляется ему невозможной. Но, конечно, он не хочет бросать меня на произвол судьбы и оставлять без поддержки и поэтому привел сюда в надежде, что кто-то из родственников возьмет меня к себе и будет за мной присматривать. Он просил моих родных решить этот вопрос как можно скорее. В остальном я волен поступать как мне заблагорассудится.

После этого мы поднялись и, не обсуждая никаких деталей, не приняв никакого решения, отправились домой в таком же гробовом молчании.

На следующее утро я встал рано, собрал свои пожитки и перебрался к одному консерваторскому другу, который был немного старше меня и жил отдельно. Я намеревался пожить у него какое-то время. В то время я зарабатывал уроками на фортепиано пятнадцать рублей в месяц — это было все мое состояние. Однако уже на следующий день туда прибежали в страшном волнении две мои тетки, госпожа Сатина — сестра отца и госпожа Зилоти. Они, разыскивая меня, обегали накануне весь город. Не соглашусь ли я пожить у них? Я принял это приглашение без особого восторга, потому что в ту пору почти не знал своих родных. Но что мне еще оставалось делать? В последующие годы я жил у них — с небольшими перерывами — и всегда встречал самое горячее гостеприимство[1]. В дальнейшем моя жизнь оказалась еще более тесно связанной с этой семьей, и их дом стал для меня родным домом в буквальном смысле этого слова. Но об этом речь пойдет позднее.

После ссоры я видел Зверева только в консерватории или случайно встречал его на улице. Я всегда вежливо раскланивался с ним, но он никогда не отвечал на мои приветствия.

Описанный инцидент имел глубокое и решающее влияние на дальнейшее развитие Рахманинова, общее и музыкальное. В более поздние годы Рахманинов, раздумывая о путях своего музыкального образования, сожалел о том, что не принял приглашения матери переехать в Петербург. Стареющая одинокая женщина после разрыва Сергея со Зверевым прислала сыну письмо с предложением переехать к ней. В то время в Петербургской консерватории возобновил свои уроки Антон Рубинштейн[2]; композицию вел Римский-Корсаков[3], ставший великим мастером своего дела и снискавший мировую славу. Но Рахманинов, проникнутый горячей симпатией к Москве, по-прежнему относился к Римскому-Корсакову с полным безразличием и даже антипатией. Должно было пройти немало времени, прежде чем он изменил свое отношение к создателю русской сказочной оперы. Поэтому даже такое заманчивое предложение, как перспектива стать учеником Антона Рубинштейна, не заставило юного Рахманинова предпочесть Петербург Москве. Такой поступок выглядел в его глазах чуть ли не предательством по отношению к Чайковскому и Танееву и в любом случае означал бы разрыв с дорогими ему московскими традициями. Юноша отклонил настойчивые мольбы матери вернуться к ней, поскольку это помешало бы продолжению его занятий в Москве.

О том, чтобы жить с отцом, Василием Рахманиновым, не могло быть и речи. Он вел рассеянный образ жизни, переезжая из одного места в другое, и понятия не имел, что ему делать с сыном.

В таких драматических обстоятельствах Рахманинов, как уже рассказывалось раньше, закончил занятия по фортепиано[4] и был переведен из класса фуги в класс свободного сочинения. Медленно, но верно приближался момент получения привлекательного звания «Свободный художник», а вместе с ним и «Большой золотой медали», которая по-прежнему оставалась предметом мечтаний юноши, видевшего в ней желанную и заслуженную награду за неослабевающее прилежание. Оставалось проучиться еще два года, необходимые для окончания курса свободного сочинения.

Лето 1891 года Рахманинов провел у бабушки с отцовской стороны в Тамбовской губернии[5]. На этот раз визит имел тяжелые последствия, так как, выкупавшись в холодный сентябрьский день в реке, Рахманинов подхватил малярию, тяжелый приступ которой заставил его возвратиться в Москву, где болезнь чуть не кончилась катастрофой.

Осенью 1891 года я вернулся в Москву после летних каникул и продолжил занятия композицией у Аренского. Мы дошли уже до свободных форм сочинения, таких как сонаты, квартеты и симфонии. Моим единственным товарищем по классу был тогда Скрябин, потому что Лидак и Вайнберг застряли в классе фуги. Вместо них на старшем отделении свободного сочинения оказались два способных композитора: Лев Конюс и Никита Морозов. Оба они были прекрасными, умелыми музыкантами, но не отличались творческой фантазией.

С самого начала учебного года меня мучили приступы перемежающейся лихорадки, которой я заболел во время каникул. По утрам у меня была нормальная температура, хорошее самочувствие и я выходил на улицу, но к вечеру поднимался жар и я чувствовал себя тяжелобольным.

В это время я жил не у Сатиных, а снимал комнату вместе со Слоновым, товарищем по консерватории. Слонов был певцом и пианистом, так же беззаветно преданным музыке, как и я. По крайней мере раз в неделю мы проводили вместе несколько часов, играя подряд все, что попадалось под руку. Я в это время уже вовсю сочинял и закончил Первый фортепианный концерт[6], Трио (которое так и не было никогда напечатано) и несколько романсов[7]. Я писал совершенно легко, сочинение не требовало от меня ни малейших усилий: писать музыку было для меня так же естественно, как говорить, и часто моя рука еле-еле успевала уследить за ходом музыкальной мысли. Слонов был единственным человеком, которого я совершенно не стеснялся; я показывал ему все, что писал, так что он постоянно наблюдал за моим творческим развитием.

Между тем болезнь все усиливалась, и вскоре я уже не мог подняться с кровати. Тогда другой консерваторский друг забрал меня к себе домой. Это был Юрий Сахновский, композитор, а позднее известный музыкальный критик

«Русского слова». Его отец, богатый московский купец, руководил процветающим делом и получал огромные доходы на скачках. В квартире его роскошно декорированного деревянной резьбой особняка, расположенного у Тверской заставы и хорошо известного всей Москве, так как мимо него проносились во время скачек лошади, а дорога вела во все фешенебельные ночные клубы, я лежал в горячке почти без сознания.

Мою жизнь спас Зилоти. Чтобы помочь мне, он сделал все, что было в его силах, и пригласил ко мне одного из самых известных московских докторов, профессора Митропольского. Диагноз, поставленный им, — воспаление мозга — требовал самого тщательного ухода, питания, и даже при этом профессор не гарантировал выздоровления. Однако мой сильный организм взял верх, и хотя я пролежал в постели почти до самого Рождества, но в конце концов поправился.

Болезнь не прошла без последствий. Самое тяжелое из них состояло в том, что я потерял легкость в сочинении. И все же это обстоятельство не помешало принятию нового решения, касающегося обучения в консерватории, почти такого же смелого, как два года тому назад. Едва оправившись от болезни, я пошел к Аренскому и сказал, что у меня нет желания учиться в консерватории еще один год — я хотел бы держать выпускной экзамен весной. Я попросил Аренского помочь мне в осуществлении этого плана и получил от него обещание, которое ему удалось выполнить: вопреки правилам консерватории мне разрешили сдавать выпускной экзамен.

Мой пример оказался заразительным, ему последовал Скрябин, который немедленно обратился к Аренскому с такой же просьбой. Но, как видно, важно быть «первой ласточкой». Просьбу Скрябина отклонили. Это настолько рассердило и огорчило его, что он бросил композиторское отделение и продолжал посещать только занятия по фортепиано у Сафонова. Так получилось, что один из самых выдающихся композиторов России остался без композиторского диплома.

В качестве компенсации за полученные привилегии Аренский потребовал от меня несколько сочинений: симфонию, вокальный цикл и оперу. Я сразу же начал работать над симфонией, но дело подвигалось с трудом. Я буквально вымучивал каждый такт, и результат оказался, естественно, самый плачевный. Я прекрасно чувствовал, что Аренский недоволен теми кусками, которые я ему показывал по мере их завершения. Мне они нравились еще меньше. Пришлось проглотить немало горьких критических пилюль и от Танеева, которого Аренский пригласил на суд моих сочинений как эксперта. Несмотря на это, я с грехом пополам все же дописал симфонию и принялся за вокальный цикл. Мое решение закончить консерваторию в этом учебном году было твердым, и существенную роль здесь играли денежные соображения. Вместе со мной собирались заканчивать учебу Лев Конюс и Никита Морозов.

Знаменательный день выпускного экзамена был назначен в апреле. Наше задание состояло в сочинении одноактной оперы «Алеко». Либретто, которое нам вручили, написал Владимир Немирович-Данченко по знаменитой поэме Пушкина «Цыганы».

В то время я после нескольких лет разлуки снова встретился с отцом. Через моего друга Сахновского, о котором я уже упоминал, мне удалось найти для него работу у отца Сахновского. Мы сняли на окраине города, недалеко от ипподрома, маленькую квартирку и поселились в ней втроем: отец, Слонов и я.

Как только мне дали либретто «Алеко», я со всех ног бросился домой, боясь потерять хотя бы одну минуту, потому что времени для выполнения задания нам предоставили совсем немного. Сгорая от нетерпения, я уже чувствовал, что музыка пушкинских стихов начинает звучать во мне. Я знал, что стоит мне только сесть за рояль, и я смогу сочинить половину оперы.

Но, прибежав домой, я обнаружил там гостей. К отцу пришли по делу несколько человек и заняли комнату, где стоял рояль. Их спорам, казалось, не будет конца — они пробыли у нас допоздна, и даже вечером я не смог подойти к роялю. Бросившись на постель, я зарыдал от ярости и разочарования — я не мог тотчас начать работать. Отец, заставший меня в таком состоянии, был крайне удивлен тем, что взрослый молодой человек утопает в слезах. Но когда он узнал причину, то покачал головой и дал мне обещание никогда больше не ставить меня в такое положение. Отец сдержал слово. Видимо, он почувствовал творческую лихорадку, сжигавшую меня.

На следующее утро я принялся за работу, которая показалась мне очень легкой. Я принял либретто целиком — мысль улучшить или исправить его ни разу не приходила мне в голову. Я сочинял в состоянии огромного подъема. Мы со Слоновым сидели за письменным столом друг против друга. Я писал страницу за страницей, не отрываясь, не проверяя и лишь передавая сплошь исписанные листы Слонову, который был настолько добр, что тут же перебеливал их начисто.

Через две недели Аренский осведомился у экзаменационной комиссии, может ли он взглянуть на работу трех своих выпускников. Получив разрешение, Аренский послал за нами. С тех пор как мы начали работать, прошло всего лишь семнадцать дней. Чтобы никто из нас не мог подглядеть в сочинение другого, двоих из нас послали в сад, в то время как третий оставался с Аренским. Первым пошел Морозов. Так как он успел сочинить немного, его свидание с Аренским продлилось не более трех четвертей часа. Отрывок, показанный Конюсом, тоже не отнял много времени. Потом наступила моя очередь. У меня был приготовлен кое-какой сюрприз. Аренский начал с вопроса:

— Ну, как далеко продвинулась наша опера?

— Я ее кончил.

— В клавире?

— Нет, в партитуре.

Он посмотрел на меня с недоверием, и мне потребовалось немало времени, чтобы убедить его в том, что я говорю чистую правду и что стопка нот, которую я достал из портфеля, в самом деле представляет собой законченную партитуру «Алеко».

— Если вы будете продолжать в том же духе, то за год сможете написать двадцать четыре акта оперы. Недурно.

Я сел за рояль и стал играть. Сочинение понравилось Аренскому, но он, конечно же, нашел в нем несколько недостатков. Полный юношеской самоуверенности, я не согласился тогда с его критическими замечаниями. Однако теперь, когда уже слишком поздно, я признаю, что каждое его указание было совершенно правильным. Я не изменил ни одного такта.

Экзамен состоялся через тринадцать дней[8], и, следовательно, на выполнение всего задания отводился срок ровно в один месяц. На выпускном экзамене присутствовали не только высокие официальные лица из Министерства просвещения, но, к счастью, и выдающиеся представители музыкального мира, такие, например, как Альтани, дирижер Большого театра, и, конечно, Танеев и все профессора консерватории.

Ни Морозову, ни Конюсу не удалось закончить свою работу. Рахманинов же приготовил еще одну маленькую сенсацию. Когда очередь дошла до него, он выложил на стол перед экзаменаторами партитуру, изящно переплетенную в кожу, с тиснеными золотыми буквами. На переплет партитуры он потратил свои последние деньги. Но успех компенсировал все затраты. Может быть, это был самый большой успех, который имел Рахманинов, не сыграв ни одной ноты. За столом, покрытым зеленым сукном, раздалось громкое «О!», сопровождаемое дружным покачиванием голов.

Затем Рахманинов сыграл свою оперу. Опера понравилась, и ему выставили за нее пятерку с плюсом. Альтани пробормотал что-то насчет возможной постановки в театре.

Обстановка была исключительно приятной, но главная радость поджидала Рахманинова впереди. Среди профессоров сидел и Зверев. После рукопожатий и всяческих поздравлений присутствующих к Сергею подошел Зверев и отвел к окну, где, остановившись у подоконника, обнял и расцеловал Рахманинова со словами, что очень счастлив и ждет от него большого будущего. Потом он вынул из жилетного кармана свои золотые часы и подарил их Рахманинову. С тех пор композитор никогда не расставался с ними и носит их по сей день.

Более блестящего окончания консерватории нельзя было и представить. Рахманинов чувствовал себя бесконечно счастливым.

Долго лелеемая мечта юного Рахманинова наконец осуществилась. Педагогический совет консерватории единодушно присудил ему «Большую золотую медаль», а имя его было высечено на мраморной доске, висевшей в вестибюле консерватории. Со дня основания консерватории Рахманинов стал третьим студентом[9], удостоившимся такого отличия, — одним из предшественников был его учитель С.И. Танеев.

Но судьба намеревалась проявить к нему еще большую щедрость, словно вознаграждая за преодоленные трудности, в особенности денежные, которые заставляли страдать молодого музыканта. Естественно, что слухи о блестящем окончании Рахманиновым консерватории, о написанной им за четырнадцать дней опере «Алеко» облетели всю Москву и взбудоражили близкие к музыке круги.

В Москве жил выдающийся нотный издатель, озабоченный в тот момент поисками молодого композитора, чьи сочинения придадут новый блеск его фирме. Это был Гутхейль. Тщательно перепечатывая немецкие издания классической музыки, выпуская и продавая танцевальную и цыганскую музыку — на нее в России всегда был огромный спрос, — он сколотил состояние, которое быстро росло. Вскоре он смог выкупить оперы Глинки и Даргомыжского у разорившейся петербургской фирмы. Эта акция не только увеличила его богатства, но и создала фирме блестящую репутацию. Московские издания Гутхейля приобрели мировую известность. Однако и это не удовлетворило честолюбие Гутхейля. «Теперь, — решил он, — надлежит сделать шаг к бессмертию». Единственное, чего ему недоставало, — это открытия нового яркого имени композитора-современника. Вот тогда его фирма займет форпост всего русского издательского дела.

Все великие русские композиторы уже были связаны с фирмами. Чайковского издавал Юргенсон, петербуржцев — Бессель. Надлежало сделать выбор из представителей молодого поколения. В этой ситуации Рахманинов со своей оперой, снискавшей во время экзамена самые лестные отзывы со стороны всех музыкантов консерватории, мог оказаться как нельзя более подходящей кандидатурой. О Рахманинове заговорили уже некоторое время тому назад, после успешного исполнения его собственного фортепианного Концерта на ученическом вечере в консерватории[10], а немного спустя и в связи с сенсационным успехом рахманиновского Трио[11] в зале Востряковых. Незадолго до нынешнего экзамена на композиторском отделении знаменитый московский скрипач Безекирский, придя к Гутхейлю, пожал ему руку, возвел очи к небу и многозначительно произнес: «Господин Гутхейль, у нас родился новый Моцарт». Все это казалось весьма достойным внимания. Короче говоря, Гутхейль решил вовлечь Рахманинова в свое дело.

Издатель разработал план наступательной кампании с большой стратегической ловкостью. Он не предпринял фронтальной атаки, но зашел с тыла, начав со Зверева.

— Тебе повезло, мой мальчик, — сказал как-то Звереву Рахманинову, — ты только-только начал сочинять, а за тобой уже гоняются издатели. Тебе следует зайти к Гутхейлю, но я советую прежде поговорить с Чайковским. У него есть опыт в таких делах.

Естественно, Рахманинов последовал совету учителя. Ему не пришлось долго ждать, потому что вскоре после этого разговора Зверев пригласил его к себе домой и попросил сыграть оперу «Алеко» Чайковскому, только что вернувшемуся в Москву. Чайковский был очарован небольшой оперой. Он увидел в ней свое влияние в гораздо большей мере, чем в сочинениях других молодых композиторов.

Когда Рахманинов спросил мнение Чайковского по поводу Гутхейля, тот ответил:

— Вы счастливчик, Сергей, — (наедине или в кругу близких друзей Чайковский называл Рахманинова только по имени, в то время как в официальной обстановке он всегда величал его не иначе как корректным и уважительным «Сергей Васильевич»), — вам удивительно везет. Чего только я не предпринимал, прежде чем нашел издателя для своих произведений, хотя и был значительно старше вас! За свое первое сочинение я не получил ни копейки и почитал себя счастливчиком, что не должен был сам платить за публикацию. Это просто чудо, что Гутхейль не только предлагает вам гонорар, но даже спрашивает о ваших условиях. Вот вам мой совет: не ставьте ему никаких условий, предоставьте ему право назначить цену самому. В этом случае вы избежите каких бы то ни было неприятностей в дальнейшем и будете вольны распоряжаться собой по своему усмотрению.

Во время первого разговора с Гутхейлем Рахманинов вел себя в соответствии с советом Чайковского. И издатель решил, что здесь кроется какая-то ловушка. Он обдумывал слова Рахманинова немало времени, взвешивал все за и против и никак не мог прийти к определенному решению.

Речь шла о следующих сочинениях: опера, шесть романсов[12] (op. 4) и две пьесы для виолончели и фортепиано (op. 2). Наконец Гутхейль назвал сумму: пятьсот рублей. Рахманинов чуть не свалился во стула: он по-прежнему зарабатывал пятнадцать рублей в месяц уроками на фортепиано, и пятьсот рублей показались ему почти фантастической суммой, княжеским состоянием. Он принял предложение Гутхейля без колебаний. С того времени и до самой смерти Гутхейль оставался не только щедрым и готовым на все издателем Рахманинова, но также его верным и преданным другом и, конечно, одним из самых горячих почитателей композитора.

Суровый главный дирижер Большого театра Альтани уже высказывал намерение поставить «Алеко», но за время летнего отдыха это обещание забылось. Только танцы из оперы были исполнены, и с большим успехом, под управлением Сафонова во время симфонического концерта в Москве[13], данного Русским музыкальным обществом.

Премьера первой оперы Рахманинова состоялась год спустя, весной 1893 года, в Москве, в Большом театре. Послушаем рассказ автора.

Странно, насколько ярче и живее я помню все, что касается моего детства и консерваторских лет, чем то, что случилось позже, даже совсем недавно. У меня складывается ощущение, будто чем дальше, тем меньше и меньше у меня находится поводов для разговора. Одно из моих последних самых живых воспоминаний того времени — это постановка «Алеко» и все, что было связано с ней. Я думаю, что выходу на сцену эта опера обязана не столько своим достоинствам, сколько авторитету Чайковского, которому она очень понравилась. Есть и еще одно обстоятельство, которое могло помочь, и я упоминаю о нем, потому что тогда в первый и последний раз в жизни воспользовался не вполне артистическим путем для достижения артистической цели.

Какое-то короткое время я вращался в светском обществе, и вовсе не по своему желанию или потому что мне это доставляло удовольствие. Меня убедил в необходимости бывать в свете один из моих родственников, который занимал в Петербурге высокий сановный пост и имел связи в «сферах», как тогда говорили, имея в виду двор. Прослышав, что я становлюсь московской знаменитостью, он не оставлял меня в покое до тех пор, пока я не приехал в Петербург, где он хотел представить меня в обществе, что, по его мнению, было необходимым условием для успеха моей артистической карьеры. Он познакомил меня с Направником, придворным дирижером Императорской оперы, чье слово считалось законом в Мариинском оперном театре. Это знакомство, однако, не имело никаких последствий. В постановке моей оперы мне помог вовсе не Направник, а человек, профессионально не имеющий к музыке и театру никакого отношения, некто К., директор важного департамента и правая рука всесильного министра двора. В его доме, в Красном Селе, нередко устраивались музыкальные вечера. Один из таких вечеров совпал с моим приездом в Петербург. Праздновали день рождения хозяйки салона, и лучшие артисты Императорских театров

Москвы и Петербурга наперебой старались доставить удовольствие ей и ее гостям.

Мой родственник взял меня с собой, и пожалеть об этом мне не пришлось. В тот вечер я познакомился с выдающимися артистами санкт-петербургского Драматического театра Давыдовым и Варламовым, может быть, двумя самыми талантливыми комедийными артистами, рожденными когда-либо Россией. Они пожелали появиться на сцене одновременно. Чтобы уморить всех, достаточно было и одного из них. Но они вышли вместе, разыгрывая сценку Чичикова и Петрищева из «Мертвых душ» Гоголя, специально подготовленную ими для этого вечера. Когда их выступление закончилось, публике понадобилось немало времени, чтобы прийти в себя от безудержного смеха. Потом пел знаменитый тенор санкт-петербургской оперы Фигнер, а после него я закончил концерт исполнением двух танцев из «Алеко» («И ни в коем случае ничего больше», — наставлял меня мой родственник). Среди гостей был начальник канцелярии Императорских театров, Его Превосходительство господин П. Во время аплодисментов, которые сопровождали мое выступление, хозяйка поднялась, подошла к Его Превосходительству и с очаровательной улыбкой сказала:

— Согласитесь, какая прелестная музыка! Вы ведь поставите оперу в Москве, не правда ли? Я обещаю вам приехать на премьеру

Об отказе не могло быть и речи. Это была ее благодарность.

Весной 1893 года мою оперу действительно поставили на сцене Большого театра, и хотя госпожа из Красного Села не почтила премьеру своим присутствием, я был безмерно счастлив.

Для успеха оперы не пожалели ничего. В постановке принимали участие лучшие силы Большого театра. Дирижировал Альтани.

Не могу описать того пронзительного чувства, которое я испытал при звуках оркестра, исполняющего мою музыку. Я был на седьмом небе. Чайковский присутствовал на трех последних репетициях. Мы сидели рядышком в углу темного зрительного зала. Интерпретация Альтани кое-каких эпизодов не понравилась мне. Помню свой разговор с Чайковским:

Чайковский: — Вам нравится темп?

Я: — Нет.

Чайковский: — Почему же вы не скажете ему об этом?

Я: — Я боюсь.

Однако во время перерыва Чайковский, который не мог выдержать этого, откашлялся и произнес:

— Мы с господином Рахманиновым считаем, что надо было бы немного увеличить темп.

В замечаниях подобного рода он отличался изысканной вежливостью и щепетильностью. Тогда же он сказал мне:

— Я только что закончил оперу ««Иоланта»; в ней всего два акта, которых не хватит, чтобы заполнить вечер. Вы не возражаете, чтобы моя опера была исполнена в один вечер с вашей?

Это были его буквальные слова: «Вы не возражаете?» Так обратился ко мне, юнцу двадцати одного года, прославленный на всю Россию пятидесятитрехлетний композитор.

На премьере «Алеко»[14] Чайковский, конечно, присутствовал, и по его же настоянию на эту премьеру приехал из Петербурга генеральный директор Императорских театров Всеволожский. Когда опера закончилась, Чайковский высунулся из директорской ложи и аплодировал изо всех сил. В своей бесконечной доброте он понимал, как поможет этим новичку из Москвы. Благодаря всем этим обстоятельствам опера, конечно, имела громадный успех. Несколько номеров бисировали, а в Москве это был залог дальнейшей жизни оперы на сцене. Когда занавес опустился, стали вызывать автора. Меня вытащили на сцену, и моя молодость, видимо, произвела впечатление на публику, потому что меня вызывали снова и снова.

Предметом особой радости и гордости стали для меня приезд бабушки Рахманиновой из Тамбова и ее присутствие на спектакле. Она слушала ее из ложи *belétage*. Бабушка гордилась своим внуком, о чем потом и сказала мне.

Премьера «Алеко» состоялась в конце сезона. И до каникул спектакль успели сыграть всего два раза. Пресса отнеслась к опере весьма благожелательно, хотя надо признаться, что все критические статьи начинались словами: «Несмотря на юный возраст композитора, следует отметить, что...»

Так Рахманинов добился успеха у публики, диплома об окончании консерватории и начал жизнь композитора.

Примерно к тому же времени относится первое его выступление как пианиста. В летнее время открылась Электрическая выставка. На ней проходили симфонические концерты под руководством дирижера Войцеха Главача, в которых принимали участие известные солисты. Одним из них оказался Рахманинов, который сыграл ре-минорный Концерт Рубинштейна и получил за это гонорар пятьдесят рублей.

Закончились годы учения молодого артиста. Жизнь открывалась перед ним, как цветущий благоуханный сад. Неизбежная для любого художника горечь предстоящих обид, казалось бы, не грозила ему. В последующие годы Рахманинов полной чашей испил горе и разочарование.

Глава пятая
«СВОБОДНЫЙ ХУДОЖНИК» В МОСКВЕ. ИСПОЛНЕНИЕ ПЕРВОЙ СИМФОНИИ И ЕГО ПОСЛЕДСТВИЯ 1893—1895

Богатый урожай лета 1893 года. — На постое в комнатах «Америка» в Москве. — Прелюдия до-диез минор, ор. 3. — Последняя встреча с Чайковским. — Дирижирование в Киеве. — Смерть Чайковского. — Трио ор. 9. — Тяжелая борьба за существование. — Беляевский кружок в Санкт-Петербурге. — Первая симфония и ее исполнение в Петербурге оркестром под управлением Глазунова. — Отъезд от бабушки Бутаковой в Новгород.

Бóльшую часть лета 1893 года Рахманинов провел вместе со Слоновым в поместье Харьковской губернии, принадлежавшем другу Слонова, богатому московскому купцу господину Лысикову[1]. Плодородие южного чернозема, несметные урожаи фруктов, душистый воздух, насыщенный ароматами цветущих лип, наполненный запахами цветов, казалось, стимулировали творческую фантазию Рахманинова. У Лысиковых он чувствовал себя почти как дома и наслаждался радостями сельской жизни, как это всегда случалось с ним, когда он вырывался из шума и суеты большого города. На исходе лета его издатель Гутхейль собрал хороший урожай сочинений. Он состоял из Фантазии для двух фортепиано в четырех частях, оркестровой Фантазии («Симфонической поэмы» согласно терминологии Листа) на тему лермонтовского «Утеса», двух пьес для скрипки (ор. 6) и длинного Духовного концерта, не напечатанного, но той же осенью[2] исполненного известным Московским синодальным хором.

Воспользовавшись отъездом на каникулы, Рахманинов по возвращении впервые в жизни поселился самостоятельно в меблированных комнатах второразрядного отеля. На бледно-голубой вывеске, украшавшей широкий кремовый фасад здания со скульптурными завитушками из штукатурки, красовалась надпись «Америка». *Nome nest Omen*[1]. Никому и в голову не пришло бы, что в сочетании этих двух слов — Рахманинов и Америка — кроется пророчество, которому в один прекрасный день суждено будет сбыться. Но в этот момент его комнаты имели мало общего с Новым Светом. В них не было ничего отличительного или ультрасовременного, они не сулили больших удобств, нежели заурядные номера плохеньких гостиниц, населенных студентами, туристами, холостыми чиновниками, а также леди и джентльменами без определенных занятий, и носивших пышные названия: «Мадрид», «Лувр», «Париж», «Брюссель» и так далее. Однако «Америка» имела неоспоримое преимущество, состоявшее в ее местоположении — она стояла на одной из самых широких и просторных улиц Москвы, которая вела на Арбат.

Еще ранней весной Гутхейль издал фортепианные пьесы (ор. 3), написанные двадцатилетним Рахманиновым до отъезда в Харьковскую губернию. Среди них была знаменитая до-диез-минорная Прелюдия, которая и в те времена, и в последующие годы сыграла большую роль в жизни композитора. Прелюдия явилась на свет в «Америке», и этот факт имел провиденциальный характер. Ор. 3 вдохновил одного

---

[1] Имя — знамение (*лат.*).

из самых известных русских журналистов — Амфитеатрова (хоть он и не был музыкантом и лишь изредка писал о музыке) — на то, чтобы посвятить его автору статью в газете «Новости дня» под заголовком «Многообещающий талант»[3]. Как и все выступления Амфитеатрова, статья получила широкий резонанс и явилась сенсацией. Рассказывая об ор. 3 Рахманинова, Амфитеатров, между прочим, проявил гораздо больший дар предвидения, чем большинство его коллег-журналистов. Он оценил выдающиеся достоинства до-диез-минорной Прелюдии, которой вскоре предстояло покорить мир и звучать повсюду вплоть до кафрских лачуг, если только там есть фортепиано. Назвав все пьесы ор. 3 «маленькими шедеврами», он предсказал их автору блестящее будущее.

Вскоре после выхода этой статьи Рахманинов пришел к своему бывшему учителю Танееву и встретил у него Чайковского. Чайковский уже, конечно, прочел статью Амфитеатрова. Он с улыбкой поздравил Рахманинова:

— Что я слышу, Сергей? Вы уже начали создавать шедевры? Поздравляю, поздравляю!

Чайковский проявил глубокий интерес к работе, которую Рахманинов проделал за прошедшее лето, и когда услышал, как много написал за это время Рахманинов, то всплеснул руками и воскликнул:

— Ах, я, бездельник несчастный! Написал за это время только одну симфонию.

Это была «Патетическая», его последняя симфония.

Рахманинов, любивший и почитавший Чайковского больше всех на свете, решил посвятить ему свою Фантазию для двух фортепиано, которую считал лучшим из произведений, написанных за этот период. Чайковский выразил желание послушать ее, но Рахманинов не хотел показывать Чайковскому Фантазию, боясь испортить первое впечатление от сочинения игрой на одном рояле. Он хотел представить Фантазию московской публике той же осенью, исполнив ее на двух роялях с Павлом Пабстом[4]. Чайковский обещал приехать на Санкт-Петербурга послушать это сочинение. Но судьба распорядилась иначе...

Вместо Фантазии Рахманинов сыграл симфоническую поэму «Утес», которая очень понравилась Чайковскому. На следующую зиму Чайковский планировал дать большой концерт в Европе в качестве дирижера и, с сочувствием и пониманием отвечая на поклонение Рахманинова, обещал ему включить в программу «Утес».

Вскоре после этого Рахманинов отправился в Киев[5], чтобы продирижировать там несколькими спектаклями «Алеко».

На прощание Чайковский, любивший пошутить, бросил такие слова:

— Вот как расстаются два великих композитора! Один едет в Киев дирижировать своей оперой, а другой в Петербург — своей симфонией.

Несколько недель спустя, во время первого представления «Алеко», Рахманинов получил телеграмму, извещавшую его о внезапной кончине Чайковского от холеры — после трех дней тяжких страданий. Случилось так, что незадолго перед этим Чайковский дирижировал первым исполнением своей Шестой симфонии — «Патетической», которая имела весьма скромный успех.

Внезапная смерть Чайковского оказалась страшным ударом для Рахманинова. Он потерял не только друга-отца, всегда бывшего для него тем эталоном музыканта, которому он вольно или невольно следовал, но и помощника, энергичного покровителя в своей стремительно развивающейся музыкальной деятельности, безошибочного советчика, в котором он остро нуждался, делая первые шаги в мире большой музыки.

Рахманинов вернулся в Москву, убитый горем. В минуты тяжелых переживаний художники, не находя слов, часто изливают печаль в своих произведениях. Так сделал Чайковский, когда в 1881 году написал ля-минорное Фортепианное трио, где на месте указания темпа первой части поставил слова *Pezzo Elegiaque* — «Памяти великого художника» — Николая Рубинштейна, скончавшегося в Париже. Наивно подражая этому, Рахманинов за месяц, прошедший со дня смерти его доброго друга, написал *Trio Elegiaque* — «Элегическое трио» — для фортепиано, скрипки и виолончели ре минор (ор. 9) и посвятил его памяти Чайковского[6]. Фантазию для двух фортепиано, посвященную Чайковскому еще при его жизни, композитору так и не пришлось услышать. Впервые «Элегическое трио» было исполнено в декабре, на одном из концертов в Москве. Исполнили его Рахманинов, скрипач Барцевич (первый исполнитель Скрипичного концерта Чайковского и в ту пору профессор Варшавской консерватории) и Анатолий Брандуков, который после Карла Давыдова был, вероятнее всего, самым выдающимся русским виолончелистом. Впоследствии он стал директором Московского филармонического общества. Чайковский ценил его очень высоко, что благодатно сказывалось на обстоятельствах жизни Брандукова.

После смерти Чайковского Рахманинову пришлось расстаться со многими художественными планами, которые так или иначе были связаны с советами и обещаниями, данными великим композитором. «Алеко» не исполнялся вместе с «Иолантой»: опера просто-напросто исчезла из репертуара Большого театра. Симфоническая поэма «Утес» не получила европейской славы, которую, несомненно, обрела бы под дирижерской палочкой Чайковского. Сафонов, надо отдать ему справедливость, продирижировал «Утесом» во время консерваторского симфонического концерта, но это, конечно, не могло заменить несостоявшихся гастролей за границей.

Хотя в музыкальных кругах Рахманинов уже имел великолепную репутацию и был достаточно известен, жизнь молодого композитора складывалась вовсе не так легко, как могло показаться. Щедрость Гутхейля продолжалась недолго, королевские гонорары не были в заводе у русских издателей. Поток творческого вдохновения композитора не иссякал, Рахманинов писал быстро и легко, и новые сочинения всегда могли бы служить для него неиссякаемым источником доходов, но сама мысль о том, чтобы писать для денег, приводила Рахманинова в ужас — он предпочел бы голодать. К счастью, до этого не дошло. Приходилось, однако, изыскивать иные способы добывания денег. Одним из них стали уроки по фортепиано, тем более что от просьб у Рахманинова не было отбоя. Скрепя сердце Рахманинов согласился на этот вид заработка, но трудно представить себе, какие мучения доставляла ему педагогическая деятельность. Люди, которым величайшие достижения кажутся простыми и естественными, никогда не становились хорошими педагогами. Они не могут понять, почему изящное упражнение или интеллектуальный замысел, ясные для них как день, могут стать источником невероятных трудностей для других. Одно только лицо Рахманинова, каменное, с напряженно поднятыми бровями, оказывало парализующее действие на мальчиков и девочек, которых, кстати, было больше, чем взрослых. Во время уроков Рахманинов не показывал ни одной ноты, он лишь поправлял. Внезапные изменения темпа, частые сильные *rubato* казались ученикам, пытающимся воспроизвести его указания, непонятными, неуместными — они совершенно терялись. Лишнее доказательство того, как определенная музыкальная концепция не может быть отделена от сильной индивидуальности, своего первоисточника, и, оторванная от него, становится сама по себе бессмысленной или по меньшей мере неубедительной. Как бы то ни было, ни сам Рахманинов, ни его ученики, ни их родители не получали от его уроков никакого удовлетворения. Тем не менее они продолжались.

Кажется невероятным, что ни Рахманинов, ни его близкие ни разу не подумали о том, что он мог бы выступать как пианист и зарабатывать деньги концертами с разнообразными программами. Макиавеллиевское замечание Сафонова «Я знаю, что ваши интересы лежат в другом» еще долго делало свое черное дело. Рахманинов ощущал себя исключительно композитором, и такого же мнения придерживался круг его почитателей. Если он выступал как пианист, то в основном представляя публике свои произведения, хотя стоит отметить, что ни одно из его выступлений подобного рода не проходило без того, чтобы критики и слушатели единодушно не восклицали: удивительно, как великолепно композитор владеет инструментом. Подобное отношение к Рахманинову продолжалось до Первой мировой войны, то есть почти до сорокалетнего возраста композитора. Впрочем, бывали случаи, когда Рахманинов пытался заработать игрой на фортепиано. Эти попытки, однако, кончались неожиданно и неудачно. Известный импресарио Лангевиц на хороших условиях предложил Рахманинову турне с итальянской скрипачкой Терезиной Туа[7]. Во время поездки они должны были посетить несколько русских городов. Гастроли, начавшиеся осенью 1895 года, были рассчитаны на два месяца. Но, к всеобщему удивлению, Рахманинов задолго до окончания турне неожиданно прервал его. Игра в провинциальных городках, неудобства и дискомфорт путешествия, а более всего необходимость изо дня в день аккомпанировать мадемуазель Туа банальный скрипичный репертуар угнетали Рахманинова невероятно. Выбрав благовидный предлог: импресарио не заплатил гонорар вовремя (что было сущей правдой), — Рахманинов упаковал свои вещи и вернулся в Москву, не сказав ни слова ни Лангевицу, ни мадемуазель Туа. Он вернулся несколько растерянный и смущенный, но безумно счастливый оттого, что разделался со своими утомительными обязательствами. Так закончилось первое и на много последующих лет последнее турне артиста.

Как ни понятен и с артистической, и с человеческой точки зрения нам этот поступок, он все же безусловно свидетельствовал об отсутствии внутреннего равновесия и повышенной раздражительности композитора; неустойчивое состояние его нервной системы вскоре усугубилось самым угрожающим образом. Прямой причиной тому послужило исполнение и Санкт-Петербурге Первой симфонии Рахманинова осенью 1897 года[8].

В течение восьмидесятых годов, пока Рахманинов учился, в Санкт-Петербургской консерватории сформировался так называемый Беляевский кружок, ставший одним из бесспорных центров музыкальной жизни столицы, несмотря на явную оппозицию по отношению к консерватории, Императорскому музыкальному обществу и Антону Рубинштейну, с его по-прежнему высочайшим в столице авторитетом. Дипломатическим посредником между двумя музыкальными королевствами стал Римский-Корсаков. В те времена он преподавал в консерватории композицию, инструментовку и контрапункт. Являясь профессором консерватории, он был в то же самое время явным лидером Беляевского кружка. Кружок возник первоначально на основе «Могучей кучки» (Балакирев, Мусоргский, Кюи, Бородин и Римский-Корсаков), но после смерти Мусоргского и Бородина, после ухода Балакирева, впавшего в мрачное ханжество и мизантропию, в кружке осталось только двое, одного из которых — Кюи — уже нельзя было принимать всерьез. Беляевский кружок группировался вокруг Беляева, богатого лесопромышленника и страстного любителя музыки, который премного споспешествовал развитию русской музыки в конце XIX века.

Кроме Римского-Корсакова и Глазунова, на творчестве которых Беляев был буквально помешан, кружок состоял из нескольких петербургских композиторов, большинство из которых являлись учениками Римского-Корсакова. Их имена можно найти в каталоге беляевских изданий в Лейпциге (сделанном по завещательному распоряжению щедрого мецената). Равнодушный к презрительному снисхождению, с которым петербургские музыканты относились к московским коллегам, и интригам, плетущимся в двух городах, Беляев привлек в свою издательскую фирму москвичей Скрябина и Танеева. Ему, конечно, очень хотелось войти также в контакт с юным Рахманиновым. Но здесь ему не удалось добиться успеха — Гутхейль, хорошо знавший цену Рахманинову, всегда перебивал самые щедрые предложения Беляева. Кроме издательской фирмы и Премии имени Глинки, ежегодно присуждаемой за лучшее камерное или симфоническое произведение, Беляев субсидировал также так называемые «Русские симфонические концерты» в Санкт-Петербурге. В этих концертах исполнялись произведения, написанные исключительно русскими композиторами. Сначала они проходили под управлением Балакирева, а позже Римского-Корсакова и Глазунова. Когда Беляев услышал Первую симфонию Рахманинова, он спросил, нельзя ли впервые исполнить это произведение на одном из его симфонических концертов.

Послушаем Рахманинова.

Обстоятельства, сопутствовавшие исполнению моей Первой симфонии, сильно подействовали на меня и наложили глубокий отпечаток на мое позднейшее развитие. Мне казалось, что не существовало ничего, что было бы мне не по силам, я возлагал большие надежды на свое будущее. Находясь именно в таком радужном настроении, я написал свою Первую ре-минорную симфонию, и легкость, с которой я сочинял ее, еще прибавила мне гордости за себя и уверенности в своих возможностях. Я был высокого мнения об этом произведении, построенном на темах из «Обихода» — книги хоров с песнопениями из служб русской церкви — во всех восьми тональностях. Радость созидания захватила меня. Я был убежден, что в Симфонии открыл совершенно новые пути в музыке. Сергей Иванович Танеев, которому я сыграл Симфонию, вовсе не разделил моих восторгов. Но эта неудача ничуть не поколебала моей уверенности. Я поехал в Петербург; переполненный радужными предчувствиями после того, как продал сочинение

Гутхейлю, который, даже не послушав Симфонию, без лишних слов заплатил мне за нее пятьсот рублей.

Я не хочу преуменьшать чудовищный провал моей Симфонии в Санкт-Петербурге. Как мне кажется теперь, этот провал был совершенно заслуженным. Конечно, исполнение было ниже всякой критики, и некоторые части Симфонии я просто не мог узнать, но, помимо этого, недостатки сочинения открылись мне во всей своей ужасающей наготе уже во время репетиции. Что-то внутри у меня надломилось. Вся моя вера в себя рухнула, и я уже никогда не испытывал того художественного удовлетворения, которого ожидал. Сочинение произвело также удручающее впечатление на петербургских музыкантов. «Извините, но я вовсе не нахожу эту музыку приятной», — сказал мне Римский-Корсаков на репетиции в своей сухой и безжалостной манере. И я, чрезвычайно расстроенный, знал, что он прав и что этим жестоким суждением и обязан не только распрям между Петербургом и Москвой. Я «вслушивался» в мое собственное сочинение. Инструментовка казалась мне отвратительной, но я знал, что и музыка оставляет желать лучшего. Судьба порой причиняет такую боль и наносит такие смертельные удары, что полностью меняет характер человека. Такую роль сыграла в моей жизни собственная Симфония. Когда закончилась неописуемая пытка ее исполнения, я был уже другим человеком.

Во время исполнения я не мог заставить себя пройти в зал. Я вышел из артистической и спрятался на лестничной клетке, сидя на железных ступеньках лестницы, ведущей на хоры.

Здесь я, сжавшись, просидел все время, пока исполнялась Симфония, пробудившая было во мне столько больших надежд. Я никогда не забуду эту муку: то был самый страшный час в моей жизни! Иногда я затыкал уши пальцами, чтобы только не слышать звуков собственной музыки, несуразность которой терзала меня. Одна мысль молотом била в моей голове: «Как это случилось? Почему?» Едва отзвучали последние аккорды, как я уже в отчаянии мчался по улице. Я добежал до Невского проспекта, вскочил в трамвай, что живо напомнило мне детство, и беспрестанно ездил туда-сюда по нескончаемой улице, в ветре и тумане, преследуемый мыслью о собственном провале. Наконец я успокоился, настолько, что даже пошел к Беляеву на устроенный в мою честь ужин. Но даже и там чувство унижения, сменившее прежнюю уверенность в себе, не покидало меня ни на минуту. Никакие подбадривания присутствующих коллег не могли успокоить меня. Я отчетливо понимал, к чему пришел. Все мои надежды, вся вера в себя рухнули.

Провал Симфонии Рахманинова не остался вне внимания критики. Цезарь Кюи, авгур и гаруспик музыкального мира Санкт-Петербурга, поместил в газете «Санкт-Петербургские ведомости»[9] разгромную статью. «Если бы в аду существовала консерватория, — писал он, — Рахманинов, безусловно, получил бы первую премию за свою симфонию, настолько дьявольскими диссонансами он угостил нас». Далее он продолжал упрекать композитора — и это было в первый и последний раз в жизни Рахманинова — в жестоком музыкальном «модернизме» и высмеивал идею, послужившую основой для написания Симфонии. Суеверные люди не удивятся печальной судьбе, постигшей сочинение, потому что Симфония значилась как ор. 13.

Весьма вероятно, что ре-минорную Симфонию Рахманинова постигла бы совсем иная участь, будь она исполнена под управлением другого дирижера и не в Петербурге, а в Москве, где широко известное имя молодого композитора, любимого и ценимого, обеспечило бы дружелюбный прием его произведению. Потом Симфонию напечатали бы, первое впечатление стерлось бы после нескольких исполнений, рукопись нашли бы достойной изучения. После ее исполнения в Санкт-Петербурге композитор, уязвленный в самое сердце, забрал свое сочинение и спрятал партитуру за семью печатями[10]. Никто никогда больше не слышал из нее ни одной ноты, и господин Гутхейль проявил достаточный такт или робость перед молодым музыкантом, чтобы потребовать с него обратно пятьсот рублей.

Хотя в музыкальных кругах Санкт-Петербурга никогда не ждали ничего хорошего от Москвы — предрассудок, весьма укрепившийся после неудачи с Симфонией Рахманинова, — молодого композитора встретили в столице весьма радушно. Возможно, он был обязан такому приему своим человеческим качествам. Римский-Корсаков, который в своих «Анналах»[1] просто упоминает ре-минорную Симфонию без всяких комментариев, выражает сожаление, что им не удалось привлечь «другую московскую звезду, Рахманинова» (первой был Скрябин) в Беляевский кружок.

Во время пребывания в Санкт-Петербурге Рахманинов посетил одну из знаменитых «беляевских пятниц», которые начинались с музыки и кончались застольем. В тот вечер Рахманинов сыграл свою Фантазию для двух фортепиано

---

[1] О. фон Риземан имеет в виду «Летопись моей музыкальной жизни», СПб., 1909. — *Примеч. пер.*

вместе с Феликсом Блюменфельдом, игравшим партию второго рояля. Исполнение Фантазии предшествовало премьере Симфонии. Фантазия имела большой успех, особенно четвертая часть с перезвоном кремлевских колоколов, вызванивающих мелодию литургического распева «Христос воскрес». Римский-Корсаков в своей строгой манере школьного учителя обратил внимание Рахманинова на финальную кульминацию, которая, по его мнению, выиграла бы, если бы эта мелодия прозвучала сначала без кремлевских колоколов.

«В своей детской заносчивости я отнесся к его замечанию с полным небрежением, — говорил Рахманинов позже, — но теперь прекрасно понимаю, насколько Римский-Корсаков был прав».

Из Санкт-Петербурга Рахманинов не вернулся прямо и Москву, а навестил свою бабушку госпожу Бутакову. Старая дама продала маленькое имение Борисово, где протекли самые счастливые летние месяцы детства Рахманинова, и жила теперь в Новгороде. Он провел у нее три дня, в течение которых полностью предавался одним лишь печальным раздумьям о трагическом исполнении своей Симфонии. На этот раз бабушке не удалось утешить любимого внука, как то случалось в его детстве. Он оставался глубоко подавленным до самого дня отъезда. Они расставались навсегда, больше им не довелось увидеть друг друга. Четырнадцать лет тому назад, мальчиком, он покидал Борисово со сжимавшимся от страха перед Зверевым детским сердечком; теперь казалось, что его собственная судьба занесла карающую длань и смотрит на него холодными безжалостными глазами из темноты, которой было его будущее.

Глава шестая
СЕРЬЕЗНАЯ ДУШЕВНАЯ ТРАВМА И ОКОНЧАТЕЛЬНОЕ ВЫЗДОРОВЛЕНИЕ 1895—1902

Душевное потрясение после провала Первой симфонии. — Дирижер частной Мамонтовской оперы в Москве. — Неприятный опыт начинающего оперного дирижера. — Недоброжелательность Эспозито. — Федор Шаляпин. — В Лондонском филармоническом обществе. — Снова апатия. — Княжна Ливен и Лев Толстой. — Доктор Даль, гипнотизер. — Второй концерт для фортепиано с оркестром. — Женитьба Рахманинова на Наталии Сатиной. — Медовый месяц и возвращение в Москву.

Рахманинов рассказывает:

«Я вернулся в Москву другим человеком. Моя вера в себя неожиданно рухнула. Мучительные часы сомнений и тяжелых раздумий привели меня к заключению, что я должен бросить сочинение. Видимо, я неспособен к этой деятельности, и, следовательно, лучше покончить с этим раз и навсегда.

Я отказался от своей комнаты в «Америке» и вернулся к Сатиным. Меня парализовала апатия. Я ничего не делал и не находил ни в чем удовольствия. День за днем валялся на кровати и вздыхал по конченой жизни. Единственное занятие состояло в нескольких уроках по фортепиано, которые я вынужден был давать, чтобы как-то просуществовать. Такое прозябание, столь же утомительное для меня, как и для окружающих, длилось больше года. Я не жил — я вел растительный образ жизни, лодырничал и ни на что не надеялся. От мысли о том, что мне суждено остаться учителем по фортепиано, я покрывался холодным потом. Но что мне оставалось другого? Дважды или трижды меня приглашали играть в концертах. Я соглашался и имел некоторый успех. Но что толку? Возможность появиться на концертной эстраде предоставлялась мне настолько редко, что я не мог рассматривать это как материальную основу для жизни. Не приходилось рассчитывать и на то, что консерватория предложит мне место преподавателя фортепиано, так как неприязнь Сафонова к Зилоти распространялась теперь и на меня, да и вообще он не считал или не хотел считать меня пианистом. В равной степени он не мог пригласить меня солистом на симфонические концерты, даваемые Императорским музыкальным обществом.

Маленький анекдот, который я сейчас расскажу, прекрасно показывает отношение ко мне, которое доминировало среди профессоров Московской консерватории.

Одним из профессоров по фортепиано в консерватории был Павел Шлёцер, весьма церемонный поляк. Во время одной из изысканных трапез у Зверева, на которой присутствовали многие из московских музыкальных знаменитостей, я сидел напротив Шлёцера. Разговор зашел о моем Первом концерте для фортепиано, который только что вышел из печати. Кто-то спросил Шлёцера: «Вы знаете рахманиновский Концерт?»

Шлёцер: «Нет, я его еще не видел». Потом, покручивая свои маленькие рыжеватые усики, он оборотился ко мне и спросил сухим, неприязненным тоном: «А сколько стоит ваш Концерт?»

Я (в высшей степени смущенный): «Честно говоря, не знаю. Что-нибудь около трех рублей».

Шлёцер: «Гмм, это очень странно: Концерт Рахманинова стоит три рубля, тогда как Концерт Шопена можно купить за рубль с полтиной».

Прошло несколько секунд, пока я вспомнил, что Шлёцер сочинил два этюда для фортепиано — как-никак его собственный вклад в музыкальную сокровищницу, — и тогда в свою очередь спросил его:

— А вы не находите странным, господин Шлёцер, что за два этюда Шлёцера приходится платить три рубля, в то время как двадцать четыре этюда Шопена стоят всего-навсего рубль?

Молчание!

В те дни мне на помощь пришел человек, от которого я меньше всего мог этого ожидать. Это был хорошо известный московский железнодорожный магнат и меценат в области искусства С.И. Мамонтов, который предложил мне вступить в качестве второго дирижера в его ассоциацию нового Оперного общества в театре Солодникова в Москве.

С помощью Частной оперы, которую он основал в 1897 году, С.И. Мамонтов намеревался влить свежую струю в стоячие воды московской оперы, которые грозили медленно, но верно замерзнуть в ледяной атмосфере Императорских театров. Мамонтову более всего хотелось расширить репертуар своего театра, сделать его более современным в сравнении с государственными оперными театрами. Римскмй-Корсаков, например, которого в музыкальных кругах считали ультрамодернистом, постоянно сталкивался с огромными трудностями в попытках поставить свои сочинения на каждой из сцен Императорских театров Москвы или Петербурга. С.И. Мамонтов сделал своей целью открыть дорогу новым и многообещающим талантам во всех областях, будь то певцы, художники или музыканты, перед которыми двери придворных театров, с их атмосферой холодной и пуританской чопорности, были наглухо закрыты. Среди первых артистов, приглашенных Мамонтовым в свой театр, помимо Рахманинова, был Федор Шаляпин, художники Коровин и Серов, а также высокоодаренные Врубель, его жена Забела-Врубель (несравненная исполнительница женских партий в сказках Римского-Корсакова) и многие другие.

Первый дирижер Мамонтовской оперы, Эспозито, отнюдь не был большим музыкантом, однако обладал огромным опытом и знаниями и знал наизусть бесчисленное множество итальянских и русских опер. Рахманинов принял предложение Мамонтова без колебаний[1], так как профессия дирижера казалась ему очень привлекательной. Он не подозревал о терниях, которые густой изгородью окружали дорогу дирижера со всех сторон. Помимо всего прочего работа в качестве дирижера давала ему солидную материальную основу, что имело для него немаловажное значение, поскольку несколько раньше ему пришлось взять на себя заботу о своей матери, жившей в Санкт-Петербурге. Но радость от этого назначения длилась не больше года.

Рахманинов продолжает:

«Что могло быть для меня приятнее предложения Саввы Ивановича Мамонтова? Я чувствовал, что могу дирижировать, хотя и не имел ни малейшего представления о технике дирижирования. Благодаря юношеской самонадеянности я рассматривал это обстоятельство как незначительную деталь. При мысли о том, что я могу бросить столь же ненавистные для меня, сколь и для моих учеников, уроки по фортепиано, я почувствовал, как меня переполняет восторг. На этих страницах я хотел бы выразить искреннее сочувствие моим бывшим ученикам и попросить у них прощения за свои уроки. Теперь я понимаю, как они должны были страдать.

Так как я никогда не дирижировал оперой, Эспозито посоветовал мне взять партитуру, хорошо знакомую оркестру, хору и солистам. Выбрали «Жизнь за царя» Глинки. Теперь я могу сказать, что с точки зрения дирижера это одна из самых трудных опер, которые я знаю. В ней множество ловушек — таких, например, как сцена в лесу, где хор поляков ни разу не меняет ритма мазурки и поет на три, в то время как оркестром надо дирижировать на четыре. Этот кусок труден даже для опытного дирижера. Чего же можно было ожидать от меня? К тому же, как это прекрасно известно, каждая оперная постановка страдает от недостаточного количества репетиций. В данном случае Эспозито, невзлюбивший меня как непрошеного соперника, постановил, что хватит и одной репетиции. Я могу положа руку на сердце сказать, что знал эту оперу так же хорошо, как Эспозито. Я подготовился очень тщательно и действительно знал назубок каждую ноту партитуры. Пока играл оркестр, все шло прекрасно, но как только вступали певцы, происходила полная катастрофа и воцарялся хаос. Я оказался совершенно беспомощным. Эспозито сидел в зале и, не говоря ни слова, иронически улыбался. Мамонтов бегал взад и вперед в ужасном волнении, то и дело давая полезные советы, продиктованные свойственным ему здравым смыслом. Но мне от этого было мало пользы. В ужасе и отчаянии я довел репетицию до конца. Ко всем прошлым разочарованиям теперь добавилось еще одно: я оказался несостоятелен и как дирижер.

Но Мамонтов больше верил в мой талант, чем я. Правда, от «Жизни за царя» пришлось отказаться. Оперу отдали Эспозито, который и в самом деле гладко продирижировал ею, демонстративно отказавшись от репетиций. Однако Мамонтов решил предоставить мне вторую попытку, на этот раз с оперой, которая содержала меньшее количество камней преткновения в виде сложных вокальных пассажей, речитативов и тому подобных трудностей. Естественно, когда Эспозито дирижировал «Жизнью за царя», я жадно наблюдал за ходом спектакля. Я не отрывал глаз от дирижерской палочки, не упуская ни малейшего ее движения. Только тогда я понял причину своей неудачи. В своем невежестве и святой невинности я был совершенно убежден в том, что артист, который выходит на сцену, чтобы петь в опере, обязан знать ее так же хорошо, как дирижер. Зачем же мне в таком случае надо было делать певцу знак вступить? Я представления не имел о потрясающем отсутствии понимания музыки, характерном для большинства певцов, которые во всей опере не знают ничего, кроме своей партии. Во время этого памятного представления я среди прочего обратил внимание и на то, что

Эспозито явно и намеренно игнорировал все музыкальные усовершенствования, которые я пытался ввести в интерпретацию партитуры Глинки. Все *fermata*, которые я снял, он восстановил; он снова вернулся к тягучим темпам и, когда спектакль окончился, закричал на тенора, с которым я немало потрудился: «Какого черта, что вы пытались спеть?! Вы что, не знаете, что такое традиция?!»

Опыт, приобретенный во время спектакля под управлением Эспозито, дал мне возможность прорепетировать оперу «Самсон и Далила» без всяких затруднений и продирижировать ею перед публикой совершенно благополучно[2].

Публика и пресса, видимо, были вполне довольны мною, так как встречали аплодисментами всякое мое появление у дирижерского пульта. Тогда же я дирижировал «Русалкой» Даргомыжского, «Кармен» и «Майской ночью» Римского-Корсакова.

Как раз в это время в Москве проходил первый сезон Шаляпина. Он был не намного старше меня. В «Русалке» Шаляпин в своей неподражаемой вдохновенной манере пел партию Мельника. Все шло отлично, и я решил, что дирижирование больше не представляет для меня проблем. Докучливыми оставались лишь утренники для школьников, ради которых нередко выкапывались откуда-то из-под земли такие устаревшие оперы, как, например, «Аскольдова могила» Верстовского, посредственного предшественника Глинки. Мне казалось, что дирижировать ими ниже моего достоинства.

В то же самое время я с благодарностью признаю факт, что работа в течение года в качестве дирижера Мамонтовской оперы сослужила мне хорошую службу, потому что я приобрел непосредственный опыт дирижирования в средоточии того мира, который вскоре после этого и в других обстоятельствах стал очень важным для меня. Но даже помимо этого я никогда не рассматривал тот год как потерянный, так как именно тогда познакомился с Федором Шаляпиным. Это событие я причисляю к самым важным и самым тонким художественным впечатлениям, которые когда-либо испытывал. Едва ли я могу назвать другого художника, который доставил бы мне такое глубокое исключительно художественное наслаждение. Аккомпанировать ему, когда он пел, восхищаться чистотой его музыкальной концепции, быстротой и естественностью, с которыми он отвечал на музыкальные и артистические импульсы, схватывал их и воплощал на собственный лад в своей особенной манере, — это самые сильные художественные переживания моей жизни. К счастью, они были частыми и повторялись снова и снова. В Москве, как и в других городах, мы играли и пели вместе, будь то интимная обстановка рабочего кабинета или широкая аудитория. Но я вернусь к этому позже».

Летом 1898 года Рахманинов принял приглашение певицы госпожи Любатович провести летний отпуск в ее загородном доме недалеко от Москвы, Среди гостей присутствовали Шаляпин и балерина мадемуазель Торнаги. Савва Мамонтов, художники Коровин и Серов, многочисленные оперные солисты и солистки приезжали из города проводить воскресные вечера в гостеприимном доме госпожи Любатович. Так, в веселье и радости, прошло это лето.

Самым значительным событием лета стала женитьба Шаляпина на талантливой балерине, прекрасной мадемуазель Торнаги. Рассказ Шаляпина в его мемуарах дает нам представление о невинно счастливой свободе личных отношений, царящих между артистами в доме госпожи Любатович. Он рассказывает, как наутро после свадьбы, в половине седьмого утра, был внезапно разбужен невероятно свирепой, исполняемой на жестянках музыкой, гремевшей под его окном. Он вскочил с постели и, с трудом разлепив веки, увидел всю труппу Мамонтова, стоявшую напротив дома. Все, кто могли, пели, в то время как остальные аккомпанировали им на кастрюлях, горшках и пустых бутылках, требуя, чтобы молодая пара немедленно встала и присоединилась к походу за грибами. Этим «чертовым хором», как назвал его Шаляпин, с большим размахом и подъемом дирижировал Рахманинов.

Когда наступила осень и начались приготовления к следующему оперному сезону, Рахманинов немало удивил всех заявлением, что не вернется на пост дирижера. Он немного устал от театра и чувствовал, что не создан для того, чтобы остаться обычным оперным дирижером. Постоянному повторению старых, набивших оскомину произведений, как правило, должна была предшествовать куча репетиций, что порядком ему наскучило. Совершенствовать музыкальные и технологические тонкости или производить серьезные творческие изыскания ни в частности, ни в деталях не представлялось возможным. К тому же уровень хора и оркестра мамонтовской Частной оперы не соответствовал большим задачам. Более того, Рахманинов вновь почувствовал вкус к сочинительству. В этот период он написал романсы op. 1—4, хоры op. 15 и музыкальные моменты для фортепиано ор. 16. Вследствие раздоров с Гутхейлем он отдал два последних произведения в старейшее московское музыкальное издательство Юргенсона, основатель которого Петр Юргенсон был близким другом Чайковского и напечатал все его произведения.

При таких обстоятельствах осенью 1898 года Рахманинов получил приглашение от Лондонского симфонического общества выступить в одном из его концертов. В течение предшествующего сезона Зилоти исполнил до-диез-минорную Прелюдию Рахманинова, которая произвела фурор. Лондонский издатель немедленно напечатал Прелюдию и разослал ее экземпляры во все уголки Британских островов. Потом Прелюдия достигла континента и Америки и принесла молодому композитору славу, которая удивила его больше, чем кого бы то ни было другого. В то время симфоническими концертами в Лондоне дирижировал сэр Александер Кэмпбелл Макензи. «Сумасшедший» успех до-диез-минорной Прелюдии привел к тому, что юный Рахманинов был принят с царскими почестями оркестром, публикой и, что немаловажно, прессой[3]. Рахманинов дирижировал своей оркестровой фантазией «Утес» и играл несколько фортепианных пьес, непременно включавших Прелюдию, так как в этом состояло одно из главных условий его ангажемента. Успех был потрясающий. Знаменитый секретарь Лондонского симфонического общества Франческо Бергер тут же обратился к Рахманинову с предложением приехать в следующем году, чтобы сыграть Первый концерт для фортепиано с оркестром. Все это проливало бальзам на раны, нанесенные композитору в Москве. Молодой артист почувствовал прилив отваги и под влиянием приема, оказанного ему в Лондоне, пообещал Бергеру написать для Англии Второй фортепианный концерт, так как считал, что Первый недостаточно хорош для того, чтобы исполнять его в Лондоне.

Но Рахманинов едва успел вернуться в Россию, как на него снова напала жестокая апатия. Он редко вставал с дивана и любому человеческому общению предпочитал общество верного пса Левко. Такое положение длилось в общей сложности два года, включая лондонский эпизод. Легко представить себе, как беспокоились все его друзья, и в особенности Сатины, у которых он жил. И они решились прибегнуть к весьма необычной тактике, с помощью которой стремились вернуть Рахманинову веру в себя.

Подруга госпожи Сатиной, княжна Александра Ливен, которая проявляла к Рахманинову материнский интерес и была хорошо известна в Москве своей плодотворной деятельностью в области социального реформаторства и филантропических мероприятий, обратилась даже к Льву Толстому, всемогущему хозяину Ясной Поляны, с просьбой поддержать юного Рахманинова словами ободрения. Немалых трудностей стоило уговорить Рахманинова, для которого имя Толстого давно стало священным, навестить «Великого отшельника» в компании княжны Ливен. Он, конечно, и не подозревал о договоре между ней и Толстым, целью которого было снова сделать его счастливым. Но визит оказался безуспешным. Наставления Толстого, его обращения к артистическому и человеческому самосознанию не повлияли на несокрушимое безразличие Рахманинова ко всему на свете.

Тогда молодежь в доме Сатиных выработала новый план, чтобы рассеять подавленность и душевную депрессию, в которую погрузился Рахманинов. Этому плану суждено было осуществиться с успехом, на который едва ли кто-нибудь всерьез рассчитывал. В то время некий доктор по фамилии Даль вызывал оживленные дискуссии вокруг своего «таинственного» лечения. Он достигал блестящих результатов с помощью внушения и самовнушения и в этом отношении оказался предшественником Куэ. Сатины сумели уговорить Рахманинова проконсультироваться с Далем по поводу его депрессивного состояния, которое, естественно, беспокоило композитора не меньше, чем друзей.

Наступил 1900 год. С января по апрель Рахманинов ежедневно оплачивал визиты доктора Даля. Вот что он об этом рассказывает:

«Мои родственники сказали доктору Далю, что он любым путем должен избавить меня от апатии и добиться, чтобы я снова начал сочинять. Даль спросил, что именно они хотели, чтобы я сочинил, и получил ответ: «Концерт для фортепиано». Тот, который я обещал лондонской публике и в отчаянии отложил. В результате, лежа в полудреме в кресле доктора Даля, я изо дня вдень слышал повторявшуюся гипнотическую формулу: «Вы начнете писать концерт. Вы будете работать с полной легкостью. Концерт получится прекрасный». Всегда одно и то же, без пауз. И хотя это может показаться невероятным, лечение действительно помогло мне. Уже в начале лета я снова начал сочинять. Материал переполнял меня, с каждым днем во мне оживали новые музыкальные идеи — их оказалось значительно больше, чем требовалось для концерта. К осени я закончил две части, Анданте и Финал, и наброски Сюиты для двух фортепиано, чей номер —

ор. 17 — показывает, что я закончил Сюиту раньше, чем Фортепианный концерт. Две части Концерта (ор. 18) я сыграл этой же осенью на благотворительном концерте, руководимом Зилоти. Это был один из так называемых концертов в пользу Дамского благотворительного тюремного комитета в московском зале Благородного собрания, которые с большим блеском проводила княжна Ливен, член Комитета по облегчению участи заключенных. На концерты приглашались всегда самые известные московские исполнители, потому что они собирали огромную аудиторию. Я помню, что на них выступали такие артисты, как Изаи, Казальс, и московские — Шаляпин, Брандуков и я. Две части моего Фортепианного концерта были приняты публикой весьма благосклонно. Это обстоятельство настолько укрепило мою веру в себя, что я снова с большим увлечением начал сочинять. Весной я закончил первую часть Концерта и Сюиту для двух фортепиано. Я обрел веру в свои силы и мог теперь позволить себе подумать об осуществлении заветной мечты: полностью посвятить два года сочинению. Это предполагало выполнение двух условий: я должен был освободиться от других обязанностей, и в первую очередь от уроков по фортепиано, а также иметь достаточно денег, чтобы мои тело и дух находились в согласии. Конечно, главной проблемой оставались деньги, потому что их наличие позволяло разрешить и все остальные. Я обратился к Зилоти, моему единственному состоятельному родственнику, и спросил его, достаточно ли он верит в мое будущее как композитора, чтобы помогать мне в течение двух лет. Зилоти удовлетворил мою просьбу без колебаний и в следующие два года регулярно выделял деньги на мое содержание.

Я ощущал, что лечение доктора Даля поразительно укрепило мою нервную систему. Из чувства благодарности я посвятил ему свой Второй концерт. Так как сочинение пользовалось в Москве большим успехом, все думали и гадали, какое отношение может иметь к нему доктор Даль. Истина, однако, была известна только Далю, Сатиным и мне.

В течение двух лет я непрестанно сочинял и написал много крупных и небольших вещей: Сонату для виолончели (op. 19), посвященную Брандукову, кантату «Весна» на слова Некрасова (op. 20), двенадцать романсов (op. 21), «Вариации для фортепиано на тему Шопена» (op. 22) и прелюдии для фортепиано (op. 23). Кантата впервые была исполнена в Москве на концерте, который давало Московское филармоническое общество. Все остальные сочинения я впервые исполнял на «Тюремных концертах», о которых уже рассказывал. Цикл op. 21 открывался романсом «Судьба» на слова Апухтина; я использовал для него первую тему из четырех нот бетховенской Пятой симфонии (тема судьбы). Я посвятил романс Шаляпину, и он впервые исполнил его на одном из концертов княжны Ливен в 1900 году[4]. Этот романс, который Шаляпин пел изумительно и который в течение многих лет был «ударным номером» его репертуара, мы исполняли в Москве и других городах бесчисленное количество раз.

Гутхейль платил за мои произведения неслыханные по тем временам для России деньги. За каждый романс — двести пятьдесят рублей, в то время как в издательстве Беляева высшей ставкой за романс было сто рублей — без всяких исключений. В связи с этим расскажу историю, которая немало меня позабавила. Один из моих родственников, член правительства, о котором я уже упоминал в связи с первым представлением оперы «Алеко», отличался не только умом, но и страстной любовью к музыке. Будучи большим почитателем цыганских песен, он написал даже два романса, которые были изданы. Однажды он пошутил:

— Не так уж плохо, Сергей. Вы получаете за вашу музыку больше денег, чем любой из русских композиторов. Теперь следом за вами иду я, мне заплатили по сто семьдесят рублей за каждый из романсов.

Я любил моего кузена, который нередко проявлял большое чувство юмора. Опаздывая к обеду, что было в порядке вещей для него, он на нежные упреки жены обыкновенно шутливо отвечал:

— Что поделаешь? Россия велика, а я — один.

Но вернемся к моим сочинениям, о которых я рассказывал. Романсы op. 21 были написаны по специальному поводу. Я нуждался в большой сумме денег и решил написать двенадцать романсов, которые Гутхейль купил у меня с огромным или притворным удовольствием. Три тысячи рублей, которые он заплатил, понадобились мне на медовый месяц весной 1902 года».

Свадьба Рахманинова и Натальи Сатиной состоялась в Москве 29 апреля 1902 года, они венчались в военной часовне одного из отдаленных московских пригородов. Шаферами стали Александр Зилоти и Анатолий Брандуков.

Через Вену и Италию молодая пара направилась в Байройт на вагнеровский фестиваль. Музыкальные драмы Вагнера, из которых в России были известны только «Лоэнгрин» и «Тангейзер», произвели глубокое впечатление на Рахманинова, который с тех пор величайшим достижением музыкального искусства считал «Мейстерзингеров» и в течение многих лет не расставался с карманной партитурой этого произведения.

Вернувшись в Россию, молодые провели остаток лета в Ивановке, в Тамбовской губернии. Осенью они переехали в Москву, где сняли квартиру в доме, принадлежавшем московской женской гимназии, по соседству со Страстным монастырем. Рахманиновы жили здесь вплоть до своего отъезда из России[5].

Глава седьмая
РАСТУЩАЯ СЛАВА КОМПОЗИТОРА И ДИРИЖЕРА 1902—1906

Рост славы Рахманинова-композитора в Москве. — Концертная деятельность. — Концерт в Вене. — Новый генеральный директор Императорских театров в Москве. — Рахманинов — первый дирижер московского Большого театра. — Неделя Чайковского. — Революция 1905 года. — «Пан воевода» Римского-Корсакова и начало более тесной дружбы с композиторами Санкт-Петербурга. — Две оперы Рахманинова: «Скупой рыцарь» и «Франческа да Римини». — Решение оставить Москву с тем, чтобы на время избежать обессиливающей музыкальной деятельности.

В течение первых десяти лет XX века слава Рахманинова- композитора росла в Москве не по дням, а по часам и увеличивалась с каждым новым произведением. Он наслаждался беспримерной популярностью, сопровождаемой поклонением, распространявшимся на все слои общества белокаменной Москвы. Хотя в Санкт-Петербурге к Рахманинову относились куда более сочувственно, чем к другим московским композиторам, тем не менее в целом там сохранялось некоторое отчуждение, далекое от взрывов энтузиазма, с которым встречалось в Москве каждое новое сочинение композитора. Особенным успехом пользовались романсы, они исполнялись во всех концертных залах, равно как и в каждом доме, где только стоял инструмент и находился член семьи, умеющий петь. Не будет преувеличением сказать, что Рахманинов пользовался такой же популярностью, как в свое время Чайковский. Публика, во всяком случае, без колебаний вручила ему корону музыкального суверена, которой, кроме Рахманинова, удостаивался только Чайковский. И лишь некоторые консерваторские круги, возглавляемые Сафоновым, так и не простившим автору до-диез-минорной Прелюдии, что он не стал его учеником, наблюдали за этим победным шествием со смешанными чувствами. Консерваторский диктатор, который заставил раскошелиться московскую плутократию на роскошное монументальное здание консерватории, сооруженное под его наблюдением, направлял общественное мнение в сторону восхищения Рахманиновым как автором Второго концерта для фортепиано с оркестром и других произведений этого периода, но отнюдь не как исполнителем. В 1908 году Рахманинов снова начал давать концерты за границей. Со времени своего блистательного дебюта в Лондоне, сопровождавшегося приступом депрессии, застопорившим дальнейшую деятельность, молодой художник не выступал за границей. Теперь он получил приглашение от Венского филармонического общества сыграть в Вене свой Второй концерт[1]. Успех его был вполне достойным, но не сенсационным. Как и в случае с другими первоклассными артистами, такими как Карузо, Падеревский, Крейслер, ему сначала надо было получить признание в Америке, чтобы добиться в Европе того успеха, которого он заслуживал. К несчастью, Рахманинов попал в Америку значительно позже, в другой период своей жизни. Европейские пианисты могли вздохнуть свободно, так как Рахманинов вернулся в Москву, не подозревая о своем значении как пианиста.

Однако на родине его слава композитора и постоянно растущий авторитет артистической личности привлекли внимание официальных кругов. Руководители Императорских театров начали зондировать почву. И в их среду, под влиянием нового директора Императорских театров Москвы, начали проникать новые веяния. Речь идет о Большом театре (опера и балет), Малом театре (проблемные пьесы) и Новом театре (современная комедия и время от времени легкие комические оперы). Новый руководитель, занявший место генерального директора всех московских Императорских театров, некто Теляковский, полковник-кавалергард в отставке, не пользовался особой известностью. На пост директора-администратора всех Императорских театров его привела чистая случайность, но благодаря проницательному уму и невероятной энергии (качествам, не столь часто встречающимся у людей на такой должности) он достиг выдающихся результатов, которые принесли ему не только профессиональное удовлетворение, но и титулы, и соответствующие знаки отличия.

«Новые времена — новые песни» — гласит пословица, и это как нельзя более соответствовало моменту, в который Теляковский занял свое место. Он должен был бороться с самыми закоренелыми предрассудками, противопоставляя им силу своей художнической индивидуальности. Его первый шаг состоял в просьбе о роспуске всех артистов уже далеко не первой молодости, которые продолжали свою службу на ангажементе только благодаря лености и безразличию Управления театрами. Следом он получил разрешение привлечь молодых и многообещающих артистов. Больше всего ему хотелось расчистить путь молодым талантам. Его первая крупная акция — приглашение в труппу Большого театра в 1898 году Шаляпина — имела громадный успех. Теперь он готовился к следующей, обещавшей стать еще более значительной и касавшейся Рахманинова. Кто дирижировал в Большом театре? Главным и единственным достойным дирижером был Ипполит Альтани, еврей итальянского происхождения. Он отличался необыкновенной музыкальностью, профессионализмом, надежностью, но сказать, что его творческая индивидуальность обладала силой свежего мартовского ветра, выметающего пыль из всех закоулков сцены и оркестра, было никак нельзя. Между тем существовал молодой музыкант, уже ставший героем многих разнообразных слухов и пересудов в городе, обладавший недюжинными музыкальными дарованиями, не только выдающийся пианист, но и человек, который за недолгий срок пребывания в Мамонтовской опере доказал, что может прекрасно руководить оркестром, — Рахманинов. Теляковский направил к нему своих посланцев. «Высокопоставленные чиновники», как назвал их Рахманинов, пришли к нему домой, предпринимали попытки встречаться с ним в других местах, расспрашивали о его работе, расписывая в самых превосходных степенях все социальные и художественные преимущества поста в Императорских театрах. Молодой композитор долгое время сопротивлялся, но в конце концов его убедили принять приглашение. Рахманинова привлекли не материальные выгоды, но единственно артистические перспективы, которые открывало перед ним принятие такого поста, и возможность работы с Шаляпиным во славу русского искусства. В начале сезона 1905/06 года Рахманинов поступил в московский Императорский Большой театр в качестве дирижера[2]. Теляковскому и его помощникам понадобилось полтора года, чтобы убедить Рахманинова сделать этот шаг. Рахманинову представлялось очень тяжелым расставание с неограниченной свободой частной жизни. Он боялся, что, несмотря на долгий летний отпуск (более трех месяцев), предоставляемый Императорскими театрами, его композиторская работа пострадает от напряженной и однообразной рутины дирижерской деятельности. Хотя официально, в сущности для того, чтобы пощадить чувства Альтани, он не был поставлен над ним, Рахманинов получил почти неограниченную свободу, которая делала его положение исключительным. Подобными правами пользовался Эдуард Направник в Санкт-Петербургской Императорской опере. Но вместо того чтобы подписать контракт на пять лет, он согласился связать себя только на текущий сезон — с октября по март.

Москва предвкушала первое появление Рахманинова в качестве дирижера Большого театра с большим волнением: оправдает ли надежды всеобщий любимец? Победа оказалась опьяняющей и бесспорной. Первым спектаклем Рахманинов выбрал «Русалку» Даргомыжского, одно из немногочисленных классических произведений среди русских опер. Рахманинов остановил свой выбор на «Русалке», может быть потому, что именно в этой опере Шаляпину принадлежала одна из его блестящих партий — старого Мельника, который сходит с ума после самоубийства дочери и воображает себя вороном. Этот эпизод предоставлял массу возможностей и открывал перед драматическим гением Шаляпина неограниченные возможности. Однако работа над «Русалкой», весьма волнующая, вовсе не давала дирижеру возможности блеснуть ни в одном номере. Несмотря на это и независимо от триумфа Шаляпина, Рахманинов имел сенсационный успех. Фурор, вполне возможно, был вызван тем обстоятельством, что публику, всегда падкую на сенсации, взволновал сам факт первого появления Рахманинова за дирижерским пультом Большого театра. Поначалу его не могли обнаружить, потому что зрители искали фигуру дирижера непосредственно за суфлерской будкой — в том месте, откуда, как правило, управляли оперными оркестрами и в Большом, и в других русских театрах. Но Рахманинов, презрев предупреждения почтенного маэстро Альтани, который, подобно всем рутинерам, утверждал, что оперой можно дирижировать, только стоя лицом к певцам и спиной к оркестру, поломал эту традицию. Он последовал примеру Рихарда Вагнера и установил дирижерский пульт перед оркестром. Успех доказал его правоту, но, убеждая Альтани, который вскоре скончался, он столкнулся с большими трудностями, доказывая, что это единственно правильное место для дирижера, и испрашивая разрешения навсегда оставить пульт перед оркестром. Пока все дирижеры не убедились, что новое расположение пульта существенно помогает работе, каждый раз, когда Рахманинов дирижировал, приходилось передвигать заодно с дирижерским и большинство пультов оркестрантов. Естественно, такая ситуация порождала многочисленные неудобства и постоянно вызывала среди рабочих сцены насмешки над чудачествами нового дирижера.

Рахманинов, однако, не был человеком, склонным к уступкам в тех случаях, когда считал себя правым. В вопросах, касающихся искусства, он никогда не шел на компромиссы. Эта верность своим убеждениям, которую многие несправедливо принимали за упрямство, потому что Рахманинов всегда уступал аргументам более убедительным, чем его собственные, заставила его друзей испытать опасения относительно будущей карьеры Рахманинова — оперного дирижера. Они ожидали страшных конфликтов между ним и некоторыми прославленными певцами, среди которых самым горячим темпераментом и упорством отличался, конечно же, Шаляпин. В санкт-петербургских и московских театрах Шаляпин перессорился буквально со всеми дирижерами. Но этим мрачным предчувствиям не суждено было сбыться, и катастрофа так и не разразилась. Музыкальный авторитет Рахманинова оказался настолько велик, его полное превосходство во время каждой репетиции настолько очевидно и настолько исключало всякие возражения, что никто не осмеливался выступить против.

Положение Рахманинова укрепляла и раз и навсегда занятая им позиция: он сторонился всяческих личных интриг и нещадно подавлял поклонение примадоннам, как правило, разлагающее атмосферу большинства оперных театров. Фаворитизм, который обычно сопутствует большим дирижерам в опере, в присутствии Рахманинова не мог найти себе места. Его спокойное и полное достоинства поведение, его объективные суждения, отметающие все обоснования, кроме чисто художественных, неизменно сдержанная манера и ровное обхождение пресекали все попытки примадонн завладеть его вниманием. Неудивительно, что в такой «очищенной» обстановке артистическая жизнь Москвы забила ключом.

К несчастью, объективные обстоятельства российской действительности не способствовали попыткам Рахманинова провести реформу в русском театре. Напротив, за стенами театра все было направлено на то, чтобы свести на нет артистические успехи, достигнутые и взлелеянные здесь, уменьшить их резонанс в московском обществе и более широких кругах оперной публики.

Всем известно, что осенью 1905 года, сразу же по окончании японской войны, принесшей России позорное поражение, а также вследствие октябрьского манифеста графа Витте, объявляющего отречение царя от абсолютной власти, в Москве и Санкт-Петербурге вспыхнула революция. К сожалению, правительство не восприняло ее всерьез, как это требовалось, и не извлекло из нее уроков на будущее. Революционный переворот, названный «аграрными беспорядками», был с трудом подавлен так называемыми «карательными отрядами». Революция поразила и другие районы страны и распространила свое разрушительное действие, террор и убийства на целые губернии. В ноябре и декабре этого года положение в Москве было тяжелым. Началась всеобщая забастовка. Свет, вода, почта, телеграф, транспорт перестали функционировать. Жители вынуждены были выстаивать огромные очереди («хвосты», как их называли в Москве), вооружившись бидонами и ведрами, чтобы набрать дневную порцию воды из немногочисленных московских колодцев. После пяти часов вечера город погружался в непроглядную тьму. Улицы патрулировались полицией, забастовочными пикетами и преступными бандами, которых ставили в качестве защитников, обыскивающих каждого встречного, в результате чего несчастные жертвы оказывались с пустыми карманами. Неудивительно, что мало кто осмеливался выходить на улицу! Сначала театры оставались открытыми, спектакли шли в пустых залах, но впоследствии они тоже должны были закрыться, потому что музыканты, рабочие сцены и все остальные театральные служащие присоединились к забастовке. В декабре шли уличные бои на баррикадах; даже гвардейские и казацкие отряды, вызванные из Санкт-Петербурга, не смогли сразу овладеть ситуацией и направить жизнь в нормальное русло. В это время царское правительство меньше, чем когда бы то ни было, склонялось пойти на уступки.

Согласитесь, что обстоятельства отнюдь не благоприятствовали успешному развитию карьеры оперного дирижера, да еще в театре, названия которого — «Императорский» — было достаточно, чтобы вызвать ярость у бездумной толпы. Такие происшествия, в особенности случаи насилия, совершенные в разных районах страны под влиянием слепого разрушительного инстинкта, произвели глубокое впечатление на Рахманинова. Они, несомненно, сыграли роль в его отношении к «Великой» русской революции двенадцать лет спустя и заставили его покинуть родину. Ничто не вызывало в нем большего отвращения, чем поругание чернью самых прекрасных человеческих идеалов, личной свободы. Так как ему самому была свойственна строжайшая дисциплина и каждое достижение, явившееся плодом напряженной работы, вызывало в нем величайшее восхищение, он был не способен проявить малейшую терпимость к тому, что он называл «недостатком дисциплины».

Оркестрантам позицию молодого дирижера раскрыл любопытный эпизод. Все русские любят курить. Рахманинов обожал курить не меньше своих музыкантов. Близорукий и не слишком энергичный Альтани попустительствовал дурной привычке оркестрантов выходить во время исполнения. Музыканты, у которых была пауза в несколько тактов (третий тромбон, арфа, кто-то из ударников), обыкновенно прокрадывались через оркестр и исчезали в задней двери, чтобы покурить. Конечно, эти исчезновения не ускользали из поля зрения сидящих в зале, и многочисленным любителям музыки могли существенно мешать бесшумно снующие туда-сюда, согнувшиеся в три погибели фигуры в черном. Рахманинов запретил эти проделки и наказывал нарушителей. В момент, когда все были переполнены идеями «свободы» и проклинали тиранов, такое поведение дирижера вызвало недовольство оркестрантов. Они организовали делегацию и послали ее к Рахманинову, чтобы показать этому новичку, чья голова, несомненно, закружилась от сознания собственного величия, что они не желают терпеть такого обращения. Делегаты произнесли страстную речь о «свободе и человеческом достоинстве» и закончили ее словами протеста против подобного обращения с ними, которого они больше не потерпят. Рахманинов выслушал их в каменном молчании, ни один мускул не дрогнул на его лице. «Могу я попросить господ подать прошение об увольнении? Прошение будет удовлетворено без промедления», — сказал Рахманинов, повернулся к депутации спиной и вышел, покинув их застывшими в полном оцепенении.

Разумеется, никто из них не был уволен, но с тех пор ни один музыкант не поднимался со своего места, чтобы покурить. Здравый смысл победил, и, как ни странно, с этого момента популярность Рахманинова среди оркестрантов лишь возросла. Его прямота, непоколебимое чувство справедливости укоротили самые злые и ядовитые языки.

После «Русалки» Рахманинов снова стал репетировать «Жизнь за царя»[3]. В его памяти эта опера ассоцировалась с печальным опытом ее постановки у Мамонтова. На этот раз, однако, он достиг феноменального успеха. «Жизнь за царя» считалась устаревшей оперой и ставилась только из чувства долга в дни официальных торжеств, таких, как день рождения царя, празднование его именин и так далее. Но в основном она служила «затычкой» в репертуаре. Однако под руководством Рахманинова опера стала неузнаваемой. Неувядаемые, но слегка заигранные мелодии Глинки, казалось, обрели новый блеск; великолепные хоры исполнялись с необыкновенной тщательностью и отличались очаровательной ритмичностью, роскошно контрастирующей с партией струнных. Неоценимую помощь Рахманинову оказал в этом старый хормейстер — Авранек. Это был истинный художник, художник по призванию, которому недоставало лишь чуточку воображения, чтобы стать выдающимся дирижером. Он быстро уловил свежий ветер, повеявший в спертом воздухе Большого театра с появлением нового дирижера, исподволь вливавшего по капле новую жизнь в заржавевшую машину. Хор и оркестр Большого театра, лучшие в Европе, никогда не находились на том уровне, на какой их поднял Рахманинов. И здесь мне хотелось бы заметить, что, на мой взгляд, московский Большой театр в это время достиг художественного совершенства, которое едва ли можно сравнить с каким-нибудь другим театром, за исключением, может быть, Ла Скала в Милане, а потом, позже, Метрополитен-опера в Нью-Йорке. Мне очень хочется подчеркнуть этот факт, чтобы он не оказался забытым.

Среди других старых опер, которым Рахманинов дал новую жизнь, были «Кармен» и, конечно, две любимые оперы Чайковского: «Евгений Онегин» и «Пиковая дама»[4].

Рахманинов, который считал, что не существует почестей, которых не был бы достоин его любимый мастер, дал сотое представление «Пиковой дамы» по случаю целой «Недели Чайковского» в Большом театре, в течение которой он исполнял только оперы и балеты Чайковского. Он продирижировал операми «Евгений Онегин», «Пиковая дама», «Опричник», «Иоланта». Во время спектакля «Пиковая дама» маленькие партии исполняли звезды, которые никогда ранее не появлялись в этой опере. Шаляпин пел Томского и Златогора в интермедии, а великолепное колоратурное сопрано госпожа Нежданова — партию Пастушки.

В течение двух лет своего пребывания в Большом театре Рахманинов дирижировал только двумя премьерами. Это были «Пан воевода» Римского-Корсакова и его собственные оперы «Скупой рыцарь» и «Франческа да Римини»[5].

«Пан воевода» — одна из самых слабых опер Римского-Корсакова, и даже тщательные репетиции Рахманинова, во время которых он не упускал ни одной детали, и его вдохновенное дирижирование не могли обеспечить успех опере в Москве. Премьера состоялась 5 сентября 1905 года. Накануне забастовали печатники, и, следовательно, все их усилия были направлены на организацию всеобщей забастовки и революции, о которой мы уже говорили. В день премьеры нигде не появилось ни одной строчки о новом спектакле, и в результате театр оказался полупустым. Немногочисленная публика оказала композитору, находившемуся в зале, равнодушный прием. Сам Римский-Корсаков вспоминает в своей «Летописи»:

«Ранней осенью меня вызвали в Москву на первое представление моей оперы „Пан воевода“ в Большом театре. Дирижировал Рахманинов, который очень талантлив. Спектакль был великолепен, кроме одного или двух певцов, оказавшихся довольно слабыми; хор и оркестр — изумительны... Невозможно было бы пожелать ничего более прекрасного, чем начало оперы, ноктюрн, сцена с предсказателем, мазурка, краковяк и полонез в сцене между Ядвигой и Паном Дзюбой»[1].

Пристальное изучение этого сочинения и музыки Римского-Корсакова, равно как и частое личное общение с композитором во время его пребывания в Москве, полностью изменили отношение Рахманинова к создателю «Снегурочки», «Садко» и многих других шедевров русской оперы. Мы знаем, что в годы учения Рахманинов признавал исключительно Чайковского и отказывался серьезно рассматривать санкт-петербургских композиторов. Он был долгое время привержен этой точке зрения; сейчас наконец с его глаз спала пелена предрассудков и он со всей искренностью признался, что рад и счастлив дать выход своему восхищению Римским-Корсаковым, художником и человеком, вопреки сформировавшимся в предшествующий период взглядам.

Сам Рахманинов рассказывает:

«Когда начались репетиции «Пана воеводы», мы с Римским-Корсаковым лучше узнали друг друга. Я словно пробудился от дурного сна, стряхнул с себя все московские предрассудки против великого петербургского композитора. Я понял всю художественную искренность и неподкуп-

---

[1] *Римский-Корсаков Н. А.* Полное собрание сочинений. Т. 1. М., 1955. С. 231.

ность, которые вдохновляли Римского-Корсакова и высоко поднимали его над всякой сентиментальщиной. Его поразительное мастерство в технике сочинения, в особенности его искусство инструментовки и тонкое чувство оркестрового колорита вызывали у меня истинное восхищение. Я в самом деле полюбил его, и это чувство усиливалось во мне день ото дня. Думаю, во всем, что касается его музыки, мой восторг еще не исчерпал себя. Сотрудничество с Римским-Корсаковым сослужило мне хорошую службу. У меня было предостаточно возможностей оценить его удивительно тонкое чутье во всем, что касается деталей, связанных с оркестром. Однажды вечером, после репетиции, мы отправились в театр Солодовникова послушать его оперу «Майская ночь». Спектакль еще не начался. Мы сели где-то в середине зала. Дирижер и оркестр, к которым из-за присутствия композитора пришло второе дыхание, не скупились на труды и что есть силы трубили на своих инструментах. Вдруг — Левко как раз начинал петь свою арию — я увидел, что Римский-Корсаков сморщился, словно от сильной боли: «Они играют на кларнетах *in B*», — простонал он и сжал мое колено. Позже я проверил партитуру — в ней были указаны кларнеты *in A*. Похожий эпизод произошел на последней репетиции «Пана воеводы». Я просил Римского-Корсакова не присутствовать на предыдущих репетициях. В сцене предсказания судьбы в этой опере есть такт на доминантном аккорде, который берется всем оркестром. Я подивился, почему в этом месте молчит туба. Когда я обмолвился об этом Римскому-Корсакову, он ответил:

— Ее все равно не будет слышно, а я терпеть не могу писать лишние ноты.

Когда репетиция закончилась, он выразил свое полнейшее удовлетворение, доставившее мне огромную радость, но добавил:

— Какие инструменты играют *fortissimo* в этом такте?

Я перечислил всех оркестрантов, одного за другим.

— А почему играет тамтам?

— Может быть, потому, что таковы указания.

— Нет, там указан только треугольник.

Я попросил музыканта принести свою партию, в ней тамтам был обозначен.

Римский-Корсаков потребовал партитуру. Выяснилось, что тамтам не играл в этом такте и был поставлен по ошибке — должен был играть только треугольник. Поразительное доказательство тонкости его слуха убедило меня в том, что тубу было бы не слышно в этом месте.

Думаю, что могу спокойно и без ложной скромности сказать, что Римский-Корсаков ответил на мою любовь к его искусству и личности симпатией и высокой оценкой моей дирижерской работы. Он выразил желание, чтобы его опера «Китеж», которую он в то время заканчивал[6], была впервые представлена в Большом театре под моим управлением. К моему глубокому сожалению, его желание не осуществилось, поскольку к тому времени, когда он прислал оперу, я уже оставил пост дирижера».

Хотя дирижирование оперой Римского-Корсакова было событием в жизни Рахманинова, может быть, еще более важной для него оказалась возможность поставить в Большом театре собственные оперы: «Скупой рыцарь» и «Франческа да Римини». Это произошло в январе 1906 года. Первая из них сочинена на сюжет маленькой трагедии Пушкина, с незначительными сокращениями. Либретто «Франчески да Римини» написал Модест Чайковский, который часто делал либретто для опер своего знаменитого брата. К сожалению, эта работа не стала удачей. Никто не станет отрицать, что написанная Модестом Чайковским биография его брата в двух томах является определенным достижением и ценной работой по истории искусства, но как поэт и драматург он не имел особого успеха, хотя в санкт-петербургских и московских театрах шло несколько его пьес. Литературный критик, известный своим злым языком, обыкновенно говорил о Модесте Чайковском: «Он славный человек, с ним приятно поболтать, и он, кажется, очень много работает, но чего-то ему недостает. Не знаю только, чего именно». Некоторое время спустя этот критик, вернувшись из театра, где смотрел какую-то пьесу Модеста Чайковского, ворвался в комнату, полный волнения и энтузиазма, и воскликнул: «Теперь я знаю, чего недостает Модесту... Таланта!» Тем не менее Рахманинов без колебаний предложил М. Чайковскому написать либретто для дополнительного акта оперы к «Скупому рыцарю». Ореол, которым было окружено для Рахманинова имя Петра Чайковского, повлиял на его решение.

Рахманинов рассказывает о периоде, когда репетировал две свои оперы, следующее:

«Я уже закончил «Скупого рыцаря», когда занял свой пост в Большом театре осенью 1905 года. Побудил меня написать эту оперу Шаляпин. Можно легко вообразить себе, насколько возбудил драматическое начало в Шаляпине характер старого барона, удаляющегося в мрачные глубины подвала поклоняться своим несметным богатствам. Я написал оперу для него.

«Франческа да Римини» обрела контуры летом 1906 года. Осенью, после проведенных в Ивановке каникул, я вернулся в Москву и обратился к Шаляпину с предложением порепетировать с ним басовые партии в обеих операх. Во «Франческе» ему предназначалась партия Малатесты. Должен признаться, Шаляпин испытывал ко мне весьма дружеские чувства. Думаю, он должен был чувствовать мое огромное восхищение им. Шаляпин встретил предложение с характерным для него энтузиазмом и сам заявил о готовности учить обе партии сразу. Но время шло, и он не вспоминал о моем предложении. Что касается его работы над произведениями других композиторов, такими, например, как «Борис Годунов» Мусоргского, «Мефистофель» Бойто, «Моцарт и Сальери» Римского-Корсакова, и другими, я не выказывал к нему ни малейшего снисхождения и положительно проявлял жестокость во время репетиций его партий. Потрясающая мощь его концепции вновь и вновь удивляла меня и наполняла все новым восторгом. Достаточно было малейшего намека, чтобы пробудить в нем силу воображения для создания образов высочайшего совершенства и чрезвычайно сложных по построению, которые он стремился немедленно воплотить. Часто случалось, что я держал его у фортепиано по два-три часа или даже больше. Я не отпускал его до тех пор, пока он не будет знать свою партию и всю оперу досконально, до последней детали оркестровки. С каким другим певцом это было бы возможно? Но когда дело касалось моих собственных опер, я не мог заставить себя действовать подобным образом. Гордость — или, может быть, стеснительность? — мешала мне. Я ни разу не сыграл ему мою оперу. Тем не менее однажды он удивил меня, сказав, что в моей опере неправильная фразировка. Я не согласился, потому что не чувствовал ошибки. Последовали жаркие споры, и с тех пор мы в разговорах друг с другом никогда не упоминали моих опер.

А потом получилось так, что совершенно случайно Альтани привлек мое внимание к молодому певцу, который был только что приглашен в Большой театр на скромное жалованье в 3000 рублей в год. У него был изумительный голос. Я попросил его зайти ко мне и спросил, сумеет ли он в течение месяца выучить две партии из моих опер, потому что решил не ждать больше Шаляпина, которого, впрочем, так же высоко ценил тогда, как и сейчас. Бакланов тотчас согласился и с этого часа поистине как раб трудился со мной и хормейстером. Чтобы рассеять все сомнения насчет фразировки, я попросил Ленского, знаменитого актера императорского Малого театра, послушать Бакланова и высказать свое мнение. Ленский пришел, прослушал всю партию и не смог обнаружить ни малейшей неточности во фразировке. К моей великой радости, он даже предложил Бакланову пройти с ним партию с драматической точки зрения. Благодаря его занятиям Бакланов превзошел самого себя. В партии Скупого он был поразителен.

Сегодня, когда я вспоминаю свои опыты в музыкальной драме, я ничего не могу поделать с тем, что попрежнему отношусь с некоторым уважением к «Скупому рыцарю». Увы, это не распространяется на «Франческу да Римини». Поэтическая основа, предоставленная Модестом

Чайковским, была чересчур бедна. Даже сочиняя, я испытывал страдания от неадекватности текста. Едва я обнаруживал драматически живую ситуацию, которая просто требовала быть положенной на музыку (такая, например, как появление Малатесты, удивляющегося Франческе и Паоло), как выяснялось, что текста больше нет. В ответ на мои настоятельные просьбы Модест категорически отказывался дописать несколько стихов.

Успех этих опер наводил меня на мысль, которая время от времени тайно шевелилась в моей голове и становилась все более настойчивой. «Уединение, — подсказывала эта мысль, — уединение — вот что необходимо тебе для творчества. Оставь Москву и сочиняй — не делай ничего, только сочиняй!..» Осенью 1906 года, когда истек срок моего контракта[8] с Императорским театром, я не возобновил его, несмотря на самые заманчивые материальные и художественные перспективы, которые открывал передо мной директор. Альтани умер, и я мог стать полновластным хозяином в театре. Но я остался тверд и не позволил ничему постороннему вмешаться в мое решение».

Понятно, что растущая в Москве и за ее пределами слава Рахманинова-композитора и его несравненная популярность как пианиста и дирижера не слишком способствовали «уединению» и творческой работе. Квартиру на Страстном бульваре постоянно осаждали друзья, поклонники обоих полов, агенты и бизнесмены всех видов. Имя Рахманинова в концертной программе, вне зависимости от того, в каком качестве и как долго он будет выступать, действовало на публику как магнит и обеспечивало полный сбор; его участие в любом мероприятии, было оно связано с его профессией или нет: на вечерах, в клубах, в обществах, — становилось гарантией их качества. Но и помимо музыкальной славы могучая индивидуальность Рахманинова, благородство характера, серьезность и искренность его натуры создали ему непререкаемый и уникальный авторитет среди москвичей. Нет более весомого доказательства его художественного бескорыстия, чем пренебрежение деньгами и карьерой в пользу уединения, необходимость в котором была продиктована исключительно творческими соображениями.

В первое десятилетие XX века атмосфера в Москве достигла кульминации своего художественного развития. Она была до такой степени насыщена различными явлениями искусства, что москвичи, с неустанным энтузиазмом чутко реагировавшие на каждое истинное художественное достижение, начали ощущать даже некоторую подавленность. На Театральной площади смотрели друг на друга два театра, Большой и Малый. Большой предлагал оперу с Шаляпиным, Собиновым, госпожой Неждановой, Баклановым и другими, равно как и балетных звезд, перед которыми вскоре склонилась вся Европа. В Малом театре вы могли насладиться игрой несравненной госпожи Ермоловой (русская Ристори), великолепными актерами Правдиным и Ленским и госпожой Садовской, комической актрисой, которой не было равных. Неподалеку располагалось незамысловатое здание Московского Художественного театра, где Станиславский вместе с его потрясающей труппой каждым спектаклем являли новые художественные откровения и начинали новую эпоху в театральном искусстве. К этому списку можно добавить и Новый театр, колыбель задушевной русской комедии, с актерами высочайшего уровня и ярко выраженными индивидуальностями. Состязались между собой три различных серии симфонических концертов, соперничая в представлении самых интересных и прекрасных программ в исполнении солистов и дирижеров высочайшего ранга. Это были Филармонические концерты, где с неизменным энтузиазмом встречали Артура Никиша, регулярно выступавшего с оркестром каждый год, наряду с Мотлем, Феликсом Вайнгартнером, — словом, самыми выдающимися европейскими дирижерами. Проходили, кроме того, концерты Императорского музыкального общества под руководством Сафонова, где, кроме него самого, дирижировали такие знаменитые гости из Санкт-Петербурга, как Римский-Корсаков, Глазунов и многие другие. И наконец, третья серия: Новый симфонический концертный союз, созданный виртуозом-контрабасистом и дирижером Сергеем Кусевицким. Вдобавок к этим сериям устраивались так называемые «Керзинские концерты», по инициативе московского адвоката Керзина (страстного любителя музыки), который достиг в своем начинании замечательного уровня музыкального исполнительства. Эти последние концерты были посвящены исключительно музыке русских композиторов.

На Рахманинова был огромный спрос повсюду. Все эти организации боролись и интриговали друг против друга, чтобы заполучить Рахманинова. Светская жизнь Москвы, с ее горячими личными контактами и пышными банкетами, начинавшимися в полночь и нередко заканчивавшимися к утру, требовала и в самом деле много сил.

Да, при таких обстоятельствах самым лучшим было оставить родной «город изящных искусств» (Москва, безусловно, заслуживала такого названия) и искать мира и уединения, которые одни только могли благоприятствовать необходимой внутренней сосредоточенности для плодотворной творческой работы.

Рахманинов и его семья — потому что тем временем, к общей радости супругов, у них появилась маленькая дочурка Ирина — двинулись к Бресту и сели в экспресс, помчавший их через Варшаву к германской границе.

«Я удрал от своих друзей, — сказал Рахманинов, улыбаясь, с глубоким удовлетворением, одному знакомому, которого случайно встретил на улицах Дрездена зимой. — Пожалуйста, не выдавай меня!»

Глава восьмая
ДРЕЗДЕНСКАЯ ИДИЛЛИЯ
1906—1909

«Эрмитаж» на Сидониенштрассе. — Никиш и Эрнст фон Шух. — Николай фон Струве. — «Русское музыкальное издательство» Кусевецких. — Новые оркестровые сочинения: «Остров мертвых» и Вторая симфония. — План оперы «Монна Ванна». — Рахманинов — дирижер Московских филармонических концертов. — Первый «Русский сезон» в Париже. — Встреча со Скрябиным и Римским-Корсаковым. — Воспоминания о Московском Художественном театре (Станиславский) и Антон Чехов. — Деятельность землевладельца. — Обязательство руководить имением Сатиных Ивановкой в Тамбове.

Почему Рахманинов выбрал своим убежищем Дрезден? Что он надеялся найти в городе на Эльбе? Ответ прост. Как сказал однажды о себе Густав Малер: «Я музыкант, и этим все объясняется». Те же слова мог произнести и Рахманинов. Самые важные решения в его жизни диктовались непосредственно и единственно музыкой. Во время предыдущего визита в Дрезден он услышал «Мейстерзингеров» под управлением Эрнста фон Шуха. Это наполнило его таким воодушевлением, что он решил предпочесть всем прочим именно это место, где в постановке оперы удалось достигнуть чудес точности, дисциплины и могучего вдохновения. Не менее важным, быть может, оказалось и то обстоятельство, что Лейпциг, где в «Гевандхаузе» дирижировал концертами Артур Никиш, находился менее чем в двух часах езды от Дрездена. Рахманинов безоговорочно преклонялся перед гением Никиша. Он ценил его выше всех современных дирижеров и рассматривал каждый концерт под управлением Никиша как важное событие в собственной жизни, мельчайшие детали которого жили в нем последующие годы. Никиш обладал поистине высшим гением дирижирования, особенно в интерпретации сочинений Чайковского, остававшегося идеалом для Рахманинова. И по сей день никто не только не превзошел его, но и не сравнялся в исполнении произведений Чайковского. Причина состояла, должно быть, в неподдельном и беззаветном восхищении дирижера русской музыкой и ее мастерами. Благоговение Рахманинова доказывает, что эта любовь была щедро вознаграждена.

Композитора привлекало также спокойное достоинство Дрездена, который в то время был столицей Саксонского королевства. Ранним утром его прекрасные сады и парки словно манили на прогулки по берегам Эльбы, где поневоле вспоминались другие берега — родные берега реки Волхов.

Осенью 1906 года Рахманинов с семьей поселился в домике, окруженном садом и стоящем в глубине спокойной Сидониенштрассе. Главным предметом мебели в весьма скромном жилище стал концертный рояль «Бехштейн», который занимал всю комнату. Строгое уединение трех лет, проведенных Рахманиновым в Саксонии, прерывалось лишь поездками на родину в семейное имение Сатиных Ивановку. Эти поездки спасали всю семью от накатывающих приступов ностальгии, то и дело всерьез угрожавших ей. Все в Дрездене было замечательно: опера, в особенности вагнеровский репертуар под руководством Шуха; изумительные концерты в лейпцигском «Гевандхаузе»... Ничто не тревожило покоя, в котором нуждался композитор, и никто не нарушал его глубокую сосредоточенность ненужными визитами и излишними расспросами. Никто не мешал ему. Быть может, именно этого ему и недоставало? Как он тосковал временами по друзьям, от которых сбежал! С каким удовольствием повидался бы с ними. Ведь несмотря на крайне замкнутый характер Рахманинова, натура его была такова, что он нуждался в обмене мнениями — правда, надо признаться, только в тех случаях, когда речь шла о музыке. В Москве стоило ему лишь подать знак, и все молодые композиторы стекались в его дом: Метнер, Гедике, Морозов, братья Эдуард и Юлий Конюсы, равно как виолончелист Брандуков, Танеев и многие другие. Они играли друг другу свои последние сочинения, обсуждали музыку, горячо спорили о жгучих проблемах, с ней связанных, а порой переходили и к другим темам. Нельзя отрицать — на это уходила бездна времени, но такое общение будоражило мысли и чувства. В Дрездене же его недоставало. В течение довольно продолжительного времени, прошедшего с тех пор, как Рахманинов поселился здесь, робость, не вполне даже осознанная, заставляла его сохранять строжайшее инкогнито. В результате он оказался изолированным от общества и музыкантов, которые не подозревали о том, что среди них живет Рахманинов.

Но и в этой ситуации на помощь поспешила судьба, подарив ему идеального друга. В Дрездене учился сверстник Рахманинова Николай фон Струве. Наполовину русский, наполовину немец, он принадлежал к знатному роду, был прекрасно обеспечен, в высшей степени музыкален и сочинял вполне недурные романсы. Их поверхностное знакомство вскоре перешло в тесную дружбу, которая продолжалась вплоть до неожиданной и преждевременной кончины Струве, последовавшей в Париже в 1921 году и явившейся следствием несчастного случая. Изоляция от музыкального мира родины, обоюдное желание обмениваться мыслями о музыке и обо всем на свете, общие интересы, общие друзья и, отнюдь не в последнюю очередь, просто симпатия, тяга друг к другу вскоре привели двух музыкантов, никогда прежде не встречавшихся, к самым коротким отношениям. Эта дружба крепла в долгих прогулках, которые часто уводили их далеко за пределы города. Сближению способствовало и еще одно обстоятельство: дело, которое глубоко заинтересовало обоих, хотя затрагивало разные стороны жизни каждого.

Русский виртуоз-контрабасист и дирижер Кусевицкий, ставший, благодаря женитьбе на дочери чайного короля Кузнецова, обладателем огромного состояния, решил последовать примеру санкт-петербургского лесного магната и покровителя искусств Беляева и основать издательскую фирму, которая принципиально отличалась бы от всех других, поскольку прибыль от издания произведений композиторов шла бы авторам, а не издательству. Большая сумма предназначалась и на другие цели. Сроки и условия, принятые этим предприятием, задуманным как завещательный отказ от недвижимости, были разработаны доктором О. фон Риземаном в содружестве с московским юристом Керзиным. Управление поручалось Николаю фон Струве, Рахманинов же среди других членов комиссии должен был отбирать произведения для издания. Рахманинов, всегда глубоко сочувствовавший треволнениям своих коллег, особенно тех, кто, несмотря на безусловный и незаурядный талант, не мог достигнуть успеха, принял эту идею близко к сердцу. Ее поддерживали и такие первоклассные композиторы, как Скрябин и Метнер. Однако самого Рахманинова невозможно было убедить воспользоваться услугами этого издательства: он оставался верен своему первому издателю Гутхейлю. Рахманинов ревностно выполнял свои обязанности в качестве члена Художественного совета, пока разразившаяся война и ранняя смерть Струве не положили конец мероприятию, процветавшему в Берлине в течение многих лет. В настоящий момент издательская фирма, значительно расширившаяся благодаря приобретению гутхейлевского дела и, более всего, благодаря произведениям Рахманинова, продолжает существовать в Париже как обычное издательство под названием «Гранд эдис он рюсс».

Нежелание пользоваться возможностью издавать свои сочинения у Кусевицкого было для Рахманинова весьма характерным. Ему не позволяли расторгнуть отношения с Гутхейлем некие моральные обязательства перед ним. Такой поступок казался ему предательством. Но это ни в коей мере не мешало ему принимать живейшее участие в деле Кусевицкого и отдавать ему много времени и энергии.

Рахманинов мог обогатить молодое предприятие не одним прекрасным произведением, поскольку его надежда на благотворное влияние спокойной, насыщенной музыкой атмосферы Дрездена более чем оправдалась чуть ли не в первые же недели по приезде. В Дрездене родились три его монументальных сочинения. Это Вторая симфония ор.

27, Первая соната для фортепиано ор. 28 и симфоническая поэма «Остров мертвых» ор. 29, а также пятнадцать романсов на стихи русских поэтов ор. 26. Романсы автор посвятил Керзиным как дань благодарности за их неустанные усилия, направленные на благо русской музыки. «Остров мертвых» был вдохновлен посещением лейпцигской картинной галереи, где на Рахманинова произвели огромное впечатление работы Бёклина. На партитуре мы читаем: «Николаю Струве, в знак дружбы». Ни одно из предшествующих посвящений не отличалось такой теплотой; как правило, Рахманинов был настолько сдержан в изъявлении своих чувств, будь то письменная речь или устная, что малейшее отклонение от принятого им обычая нужно рассматривать как исключение и знак особого расположения.

После более чем десятилетнего перерыва Рахманинов вновь стал работать над оркестровой музыкой. Губительный эффект исполнения его Первой симфонии в Санкт-Петербурге десять лет тому назад, его парализующее влияние на творческое воображение Рахманинова всего лишь ослабили хватку художника. Между «Островом мертвых» и написанной перед ним симфонической поэмой «Утес» был интервал в пятнадцать лет.

Еще одна крупная форма, которую Рахманинов начал в конце дрезденского периода, осталась незаконченной, к сожалению, по сей день. Я говорю об опере «Монна Ванна». Либретто принадлежало старому другу композитора Слонову, доказавшему горячую преданность Рахманинову и в свое время перебелившему для него партитуру «Алеко». Оно было написано по одноименной пьесе Метерлинка. Станиславский лично посетил автора, чтобы попросить его разрешения воспользоваться драмой для оперного либретто. Все это происходило в период взаимного обожания между Метерлинком и Московским Художественным театром. Специально для Станиславского Метерлинк написал «Синюю птицу», постановка которой стала одним из самых больших успехов, достигнутых когда-либо этим театром. Рассказы о визите Станиславского к Метерлинку в Бельгию передавались из уст в уста с весьма забавными подробностями. Станиславский до той поры никогда не видел Метерлинка, встретившего его на железнодорожной станции в своей машине одетым в кожаную куртку и кепку. Станиславский, приняв его за шофера Метерлинка, потратил все время дороги на расспросы «шофера» о хозяине. Метерлинк, обладавший острым чувством юмора, спокойно играл роль шофера и с огромным удовольствием рассказывал Станиславскому такие устрашающие сказки о самом себе, что у того волосы на голове вставали дыбом. Метерлинк продолжал держать гостя в заблуждении и лишь перед тем, как переступить порог своего дома, обернулся к нему и приветствовал как радушный хозяин.

Метерлинк уже дал согласие воспользоваться «Монной Ванной» в качестве либретто другому композитору, но это не помешало Рахманинову начать работать над планом своей оперы, который быстро продвигался вперед.

Почему же он не закончил сочинение? Сам Рахманинов называет такую причину: дело заключалось в том, что к концу пребывания в Дрездене он постепенно изменил свой аскетический образ жизни, заключавшийся в почти полном отшельничестве. Ему нужны были деньги, чтобы поддерживать семью, которая к тому времени разрослась — на свет появилась еще одна дочь, Татьяна. Рахманинов не мог больше отклонять все предложения и должен был принять некоторые из ангажементов, поступающих к нему из России, Германии и других стран. Совершенно естественно, что произведения, созданные в Дрездене, должны были впервые прозвучать в Москве, по той причине, что именно с Москвой у Рахманинова образовались теснейшие связи и он любил этот город все сильнее. Он сыграл свою Первую сонату для фортепиано в концерте камерной музыки, который давало Императорское русское музыкальное общество, то есть в одном из консерваторских концертов. К тому времени освободительные волны 1905 года сбросили Сафонова с ректорского поста, а его преемник выказывал большее расположение к музыке Рахманинова. «Остров мертвых» и Вторая симфония впервые прозвучали на концертах Московского филармонического общества. Рахманинов сам дирижировал Симфонией, которая имела сенсационный успех. К сожалению, это не прошло незамеченным для Никиша, который вскоре повторил исполнение этого произведения в Москве. Верный своим обычаям, доверившись дирижерскому мастерству, он положил перед собой партитуру незадолго до концерта и не слишком внимательно проглядел ее. Этот метод, однако, не годился для сложной партитуры рахманиновской симфонии. Вследствие этого памятный концерт изобиловал небольшими инцидентами, которые прошли незамеченными для публики, но заставили улыбнуться музыкантов и вызвали досаду у тех, кто уже был знаком с произведением. Не будь это великолепное и грандиозно задуманное сочинение ранее представлено публике самим композитором, исполнение Никиша могло закончиться роскошными похоронами Второй симфонии. В результате публика, пребывавшая в постоянном восхищении Никишем и ожидавшая чуда от соединения двух имен — Никиша и Рахманинова, достигшего наивысшей популярности в Москве, проглотила свое разочарование и наградила легкомысленного дирижера и изувеченное произведение вежливыми аплодисментами. Со времен Чайковского это была первая русская симфония, полностью отвечающая классическим образцам. С тех пор она приобрела постоянное и почетное место в программах Санкт-Петербурга и Московского филармонического общества. Но потребовалось немало времени, прежде чем Симфонию оценили по достоинству за границей. Тому есть несколько причин, но мы расскажем о них несколько позже. Реакция Рахманинова на благие намерения, вылившиеся в дурную услугу, которую оказало ему исполнение Никиша, выглядит для него весьма типичной. Он не только не выразил Никиту своего недовольства, но счел чуть ли не вполне естественным нежелание знаменитого дирижера слишком отягощать себя работой над произведением, не конгениальным ему. Во всяком случае восхищение, испытываемое Рахманиновым по отношению к Никишу, нисколько не уменьшилось. С другой стороны, дирижер, осознавший ошибку, искупил свою вину великолепным исполнением симфонии в лейпцигском «Гевандхауз».

Энтузиазм, проявленный публикой по отношению к Рахманинову во время его дирижирования симфонией в Москве, побудил директора Филармонического общества обратиться к нему в 1907 году, когда композитор жил еще в Дрездене, с предложением занять пост внезапно заболевшего Никиша и продирижировать серией симфонических концертов в Москве. Рахманинов не хотел принимать этого предложения по двум причинам. Во-первых, у него не было готовой программы для шести или восьми концертов (главным образом потому, что, если Никишу не хватало осознания необходимости внимательного прочтения партитуры, Рахманинов, напротив, страдал от его переизбытка); во-вторых, скромность, почти бессознательная, заставляла его бояться, что публика окажется разочарованной такой переменой. Тем не менее один или два раза он появился в Москве за дирижерским пультом, и аудитория приветствовала его бурными изъявлениями радости. Хотя Рахманинов находил большое удовлетворение в концертной деятельности дирижера, она еще более обостряла внутренний конфликт, терзавший композитора на протяжении последующих десяти лет. Он не мог решить, какой из трех профессий ему следует окончательно посвятить себя. Кем он был: композитором, пианистом или дирижером? Он успешно действовал на всех трех поприщах, и, что еще более важно, все они приносили ему чувство настоящего творческого удовлетворения. В течение последующих десяти лет мы наблюдаем, как он постоянно мечется между тремя сферами деятельности, не зная, какой из них отдать предпочтение, пока случай, о котором мы сейчас расскажем, не разрешил эту проблему помимо его воли.

Еще в дрезденский период жизни Рахманинова щедрость таланта и непреодолимая сила многообразных музыкальных дарований композитора нашли убедительное воплощение, когда ему пришлось участвовать в предприятии, призванном доказать Европе огромное значение русской музыки. Это произошло в Париже в мае 1906 года.

Весной этого года Дягилев, заслуживающий самых высоких похвал за пропаганду русского искусства в Европе, особенно балета, открыл свой первый «Русский сезон».

Он организовал серию симфонических концертов в Гранд-опера, куда пригласил лучших музыкантов, которых могла представить Россия: Римского-Корсакова, Глазунова, Скрябина, Шаляпина, Иосифа Гофмана, Никиша и Рахманинова. Рахманинов выступил в трех ипостасях: как композитор, как дирижер своей кантаты «Весна» и как исполнитель Второго концерта для фортепиано с оркестром[1].

Вот собственный рассказ Рахманинова об этих концертах:

«Дягилев вместе с парижским дирижером Шевийяром великолепно подготовили эти концерты. Мне не пришлось много работать с хором и оркестром: кантата была уже отрепетирована, — и концерт пошел хорошо, как только можно было желать. Никогда не забуду критического замечания Римского-Корсакова по поводу моего сочинения. После окончания концерта он зашел в артистическую и сказал:

— Музыка хорошая, но вот ведь какая жалость! В оркестре нет ни малейших признаков «весны».

Я мгновенно почувствовал, что он попал в точку. Как я бы исправил инструментовку кантаты сегодня... Нет, я бы изменил всю инструментовку! Когда я писал ее, мне не хватало понимания связей между — как бы это сказать? — оркестровым звучанием и атмосферой, которую Римский-Корсаков умел так блестяще передавать с помощью оркестра. В партитурах Римского-Корсакова никогда не возникает ни малейших сомнений относительно «метеорологической» картины, которую должна нарисовать музыка. Если это метель, то кажется, будто снежинки танцуют, вырываясь из деревянных инструментов, со скрипичных струн; когда солнце высоко, все инструменты ослепляют почти огненным блеском; если это вода, то вы слышите в оркестре, как струятся и разлетаются брызгами волны, и этот эффект достигается всего лишь с помощью глиссандо арф; холодный прозрачный звук характеризует тихую зимнюю ночь со сверкающими на небе звездами. Он был великим мастером оркестровой звукописи, и этому у него можно учиться бесконечно. Кажется странным, что человек, достигший наивысшего мастерства в овладении всеми тайнами оркестра, вплоть до мельчайших деталей, оказывался настолько беспомощным как дирижер. «Дирижирование — это темное искусство», — замечает он в своей книге «Летопись моей музыкальной жизни». К сожалению, эта мысль приходила в голову не только ему, но и публике, наблюдающей его за дирижерским пультом. Не лучше было и в Париже, когда, насколько я помню, он дирижировал сценами из «Садко» и музыкой из «Млады». Когда Римский-Корсаков передал дирижерскую палочку Никишу, в зале раздался вздох облегчения».

С особым интересом ждал Рахманинов встречи в Париже со Скрябиным. Скрябин покинул Москву несколькими годами раньше, отчасти по тем же причинам, которые вызвали отъезд Рахманинова в Дрезден, отчасти по мотивам личного характера. Он вел чрезвычайно скромный образ жизни, поскольку не был музыкантом-исполнителем, останавливаясь то во Франции, то в Бельгии, то в Швейцарии. Его философское мироощущение все больше и больше склонялось к теософскому мистицизму и в это время претерпевало те же радикальные изменения, что и музыкальный стиль. Первым крупным произведением, знаменующим начало этого периода, стала Третья симфония, в которой Скрябин сочетает идеи, вдохновленные теософским мистицизмом, с гармоническим языком, новым и необычным. Это произведение не было исполнено во время «Русского сезона» в Париже. Никиш дирижировал Второй симфонией, а Иосиф Гофман исполнил его Фортепианный концерт — оба сочинения относились к «классическому» для Скрябина периоду.

Впечатление, произведенное Третьей симфонией на русских коллег композитора, которым он показал свое сочинение, было противоречивым. Ни один из них не мог даже условно примириться с его революционными новациями. Чрезвычайно серьезный и слегка педантичный Римский-Корсаков проявлял мало симпатии к скрябинской концепции мирового катаклизма, в котором космические и музыкальные идеи соединялись в форме исполинской структуры мышления.

Однако новые теории Скрябина вызывали горячие споры между русскими композиторами, встретившимися в Париже. Поведение Скрябина, лишенное какой бы то ни было позы, также казалось весьма своеобразным и давало пищу для жарких дискуссий. Скрябин, например, оказался первым, кто, по его выражению, «из гигиенических соображений» отказался от ношения шляпы. Он ходил по парижским бульварам с непокрытой головой и предвосхитил моду, широко распространившуюся спустя несколько лет. Консервативные французские мсье, конечно, приходили в ужас от столь вызывающего поведения, нарушавшего все правила приличия. Скрябина постоянно окружала ватага уличных мальчишек и разносчиков газет, которые бежали за ним, выкрикивая ритмичную дразнилку «Le Monseur sans chapeau»[1]. Что, впрочем, ни в коей мере не нарушало его спокойствия.

Рахманинов рассказывает:

«Помню один спор, разгоревшийся между Римским-Корсаковым, Скрябиным и мной за маленьким столиком в кафе «Де-ля-Пэ». Одно из новых открытий Скрябина заключалось в том, что, как он считал, существуют связи между звуками, то есть некоторыми аккордами и тональностями, и цветами солнечного спектра. Если не ошибаюсь, именно тогда он работал над планом большого симфонического произведения, в котором помимо событий чисто музыкальных должна была присутствовать игра света и цвета. Он никогда не задумывался о реальном воплощении своих идей в жизнь, эта сторона вопроса его мало беспокоила. Скрябин собирался ограничиться тем, чтобы поставить в партитуре световые и цветовые обозначения.

К моему удивлению, Римский-Корсаков в принципе согласился со Скрябиным, подтвердив, что между тональностями и цветами существует определенное соотношение. Я, поскольку не ощущал ничего общего между тем и другим, горячо оспаривал такую точку зрения. То, что Скрябин и Римский-Корсаков расходились в точных соотношениях того или иного цвета и той или иной тональности, доказывало мою правоту. Для Римского-Корсакова фа-диез мажор, например, был голубым, в то время как для Скрябина — пурпурно-красным. Правда, относительно других

---

[1] «Господин без шляпы» (*франц.*).

тональностей их мнения сходились: ре мажор, например, для обоих был золотисто-коричневым.

— Послушайте! — воскликнул вдруг, обращаясь ко мне, Римский-Корсаков. — Я докажу вам, что мы правы, по вашим же собственным сочинениям. Возьмите, например, эпизод «Скупого рыцаря», где старый Барон открывает свои сундуки и ящики и драгоценности вспыхивают и сверкают в свете факела... Что вы скажете на это?

Я должен был согласиться, что эпизод написан в ре мажоре.

— Видите, — сказал Скрябин, — ваша интуиция бессознательно следовала законам, чье существование вы совершенно напрасно пытаетесь отрицать.

У меня было гораздо более простое объяснение этого факта. Сочиняя эпизод, я бессознательно обратился к сцене из оперы Римского-Корсакова «Садко», где по приказу Садко действующие лица вылавливают из Ильмень-озера золотую рыбку и испускают ликующие крики: «Золото! Золото!» Эти возгласы звучат в ре мажоре. Но переубедить коллег мне не удалось. Они покинули кафе с видом победителей, совершенно уверенные в том, что полностью доказали мне свою правоту.

Отношение парижских слушателей к русской музыке хорошо известно. Они всегда поддерживали санкт-петербургскую школу «Новая русская школа», представленную в основном Римским-Корсаковым, Бородиным, Мусоргским и Глазуновым, а в последнее время также Стравинским и Прокофьевым, считалась единственным направлением, действительно заслуживающим внимания. Все произведения, принадлежащие представителям этой школы, неизменно встречали теплый прием. Москва, напротив, должна была вести во Франции тяжелую борьбу за признание даже в тех случаях, когда ее представлял такой величайший музыкант, как Чайковский. Москва так и не добилась у парижан той же любви, что в Германии, где все обстояло как раз наоборот. Этот факт, который нельзя отрицать, следует принять к сведению без объяснений — они потребовали бы больше места, чем то, каким мы располагаем. Учитывая эти особенности парижского общества, композиторы из Санкт-Петербурга во время дягилевских «Русских сезонов» могли рассчитывать на больший успех, чем их московские коллеги, например Рахманинов, воспринимавшийся как последователь Чайковского, или Скрябин, чья туманная мировая философия не была созвучна отточенному, кристально чистому интеллекту и откровенному музыкальному гедонизму французов. Поэтому триумф Рахманинова, вызванный его изумительным исполнением до-минорного Концерта, следует рассматривать как величайшее достижение. Овация, разразившаяся после его игры, длилась до тех пор, пока он снова не сел за рояль, чтобы сыграть на бис. В этот момент, когда слушатели замерли в напряженном ожидании, с галерки раздался резкий и пронзительный свист. Несомненно, это был способ, с помощью которого Франция попыталась успокоить свою совесть. Но дружелюбная и удивленная улыбка, с которой Рахманинов посмотрел в сторону галерки, очаровала слушателей и вызвала новый взрыв энтузиазма, бушевавшего до первых звуков до-диез-минорной Прелюдии, мгновенно успокоивших волнение аудитории.

Концертные турне, слишком частые на его взгляд, нарушили непрерывную работу и мирную жизнь, которую

Рахманинов надеялся вести в Дрездене. Одно из них привело его в Берлин, где он сыграл Трио с музыкантами Чешского струнного квартета[2] (в то время, безусловно, лучшего в Европе) на концерте камерной музыки в предельно консервативной Певческой академии. Это было его первое и на некоторый период последнее появление в германской столице; как это ни странно, здесь снова повторился парижский эпизод со свистом.

1908 год застал Рахманинова опять в Дрездене. Но периоды ничем не нарушаемой работы вдали от «неистовствующей толпы» становились все короче. Музыкальный мир России и континента чаще и чаще требовал его, и по разным причинам — как художественным, так и материальным — Рахманинову все труднее становилось отказываться от приглашений.

Весной этого года праздновал десятую годовщину своего существования Московский Художественный театр[3]. Вся Москва собралась в театре по этому случаю. Произносились бесчисленные речи, вереница депутатов от общественных и художественных организаций с адресами и поздравительными посланиями казалась нескончаемой. Незабываемое впечатление произвело на всех появление Шаляпина: он подошел к роялю и, обращаясь к Станиславскому, запел под аккомпанемент пианиста Кёнемана: «Дорогой Константин Сергеевич...» Засим последовало короткое теплое поздравление в форме письма, заключавшееся такими словами: «Ваш Сергей Рахманинов. Дрезден, четырнадцатого октября тысяча девятьсот восьмого года. *Post scriptum.* Жена моя мне вторит». Публика, до отказа заполнившая зал, потрясенная сочетанием трех этих знаменитых имен: Шаляпина, Станиславского и Рахманинова — без сомнения, самых популярных в Москве, — впала в экстаз. Шаляпину пришлось повторить музыкальное поздравительное послание три или четыре раза, прежде чем публика окончательно утихомирилась. Мне хотелось бы процитировать некоторые воспоминания Рахманинова о Московском Художественном театре и связанных с ним людях. Вот его собственный рассказ.

С самого начала я испытывал огромный интерес к ходу развития опыта Станиславского как по личным, так и по художественным причинам. Я глубоко уважал Станиславского и его художественные задачи, коренившиеся единственно в страстной любви к театру; в этом отношении он всегда оставался для меня примером. Но меня привлекали и многие другие деятели Художественного театра, и сильнее всех его автор, Антон Павлович Чехов, который был великолепен и, несомненно, имел право называться «Венчаным поэтом» Московского Художественного театра. Из всех русских поэтов и писателей я всегда любил его больше всех — это осталось и по сей день. Помимо свойственного ему восхитительного таланта, это был один из самых очаровательных людей, которых я встречал в жизни. Он отличался трогательной скромностью. Задолго до возникновения Художественного театра я уже принадлежал к числу его горячих поклонников и знал его лично. Самый большой комплимент из всех полученных мною слетел с его уст. Я хочу рассказать об этом не для саморекламы, но чтобы дать некоторое представление о его личности.

Вскоре после того как я узнал Шаляпина — это было во время моего дирижерского ангажемента в Частной московской опере, имя мое тогда было совершенно неизвестно, — мы с ним отправились в концертное турне, которое привело нас в Крым[4]. Там, в Ялте, жил Антон Павлович Чехов. В тщетной попытке найти новые силы для своих подорванных легких Чехов поселился в Крыму. Я должен сказать, что у Чехова была репутация великолепного физиономиста. Станиславский любил рассказывать о нем такую о историю.

Однажды в артистической уборной Станиславского Чехов встретил человека, который всячески демонстрировал свое процветание и благополучие, отличался чрезвычайно живыми манерами и в минуту сыпал большим количеством шуток, чем могли переварить пятьдесят умных людей. Каково же было удивление Станиславского, когда после ухода этого человека Чехов, который, и на этот раз нисколько себе не изменив, оставался совершенно невозмутимым, после того, как кто-то выразил свое мнение об ушедшем, сказал: «Боюсь, этот человек плохо кончит». Несколько месяцев спустя весельчак пустил себе пулю в лоб.

Итак, мы давали концерт в Ялте. Нам сказали, что Чехов, с которым в ту пору я еще не был знаком, выразил желание прийти на наш концерт. Мы послали ему билет в директорскую ложу рядом со сценой. Сидя за роялем, я видел его. Я старался вовсю, но поскольку мне принадлежала скромная роль аккомпаниатора, при всем желании не мог себя показать. Когда после концерта Чехов вошел в артистическую, он обратился ко мне с такими словами:

— У вас, молодой человек, огромное будущее.

— Почему вы так решили?

— Это написано на вашем лице.

Замечание Чехова я считаю самым лестным из всех, которые доходили до моих ушей, тем более что оно имело не слишком большую связь с моим скромным выступлением за фортепиано.

В дальнейшем Чехов часто предлагал мне идеи для будущих опер, и мне очень жалко, что наша совместная работа так никогда и не осуществилась. Чеховские либретто не ложились на музыку: его беда заключалась в том, что он не чувствовал специфических связей между музыкой и словом. Именно по этой причине, к моему глубокому сожалению, я не смог воспользоваться версией его собственного рассказа «Черный монах» или либретто, сделанного им по «Герою нашего времени» Лермонтова («Бэла»).

Однажды летом, много лет назад, актеры Художественного театра, все без исключения беззаветно преданные Чехову, вместе с его женой Ольгой Книппер приехали в Крым, желая якобы дать несколько спектаклей в Севастополе и Ялте. На самом деле они хотели показать Чехову постановки его самых последних пьес. Чтобы быть поближе к Чехову, в Ялте собирались все молодые российские писатели: Бунин, Елпатьевский, Куприн, Чириков, Горький, который в тот момент как раз работал над своей пьесой «На дне» и был представлен Станиславскому и его труппе. В начале лета я тоже оказался в Ялте и жил в домике, снятом для меня другом, принимавшим живейшее участие в моей судьбе, княжной Александрой Ливен. Часы, проведенные с Чеховым, всегда воодушевляли... Чехов никогда даже не намекал на свой смертельный недуг. Он занимался медициной и гораздо больше гордился этим, чем своим писательским талантом. «Я доктор, — обыкновенно говорил он, — а в свободное время немного пишу».

С Московским Художественным театром связано еще одно из моих воспоминаний. После ранней смерти постоянного композитора театра Ильи Саца меня попросили написать что-нибудь в его память. Нисколько не умаляя характерного таланта Саца, я все же не находился в числе его поклонников. Безусловно, он обладал индивидуальностью, и это отчетливо выражалось в его музыке, но меня раздражал недостаток музыкального образования и настоящего мастерства. Однако, чтобы доставить удовольствие Станиславскому и Художественному театру, я приготовился сделать все, что в моих силах, особенно потому, что это было связано с намерением подержать вдову, оказавшуюся в чрезвычайно стесненных обстоятельствах. Мне передали все оставшиеся фрагменты его музыки и предложили выбрать то, что, на мой взгляд, представляло наибольшую ценность. Я не мог заставить себя исполнить эти произведения на концерте в их оригинальном варианте, как это планировалось, и передал отрывки композитору Рейнгольду Глиэру, который заново инструментовал их для оркестра. В таком виде я продирижировал сюитой «Синяя птица» (по пьесе Метерлинка), вальсом к «Дням нашей жизни» (Леонид Андреев) и мелодрамой на стихи Алексея Толстого, которую великолепно продекламировал Москвин (неподражаемый исполнитель роли царя Федора) на концерте, посвященном памяти Ильи Саца, проходившем в зале Благородного собрания[5].

Вскоре после этого Станиславский обратился ко мне с предложением написать музыку к постановке драмы Блока «Роза и крест». Но, несмотря на столь желанный для меня контакт с Художественным театром, я отказался: я не разделял восторга большинства труппы по отношению к этому произведению.

Вернемся к нашему рассказу. Летом 1908 года Рахманинов добровольно положил конец своему пребыванию в Дрездене[6]. Если жизнь в городе на Эльбе не оправдала всех его надежд и ожиданий, то только потому, что не сумела оградить его одиночество от бесконечных просьб, с которыми обращался к Рахманинову музыкальный мир России и континента. Но он всегда будет вспоминать об этом городе с чувством, окрашенным некоей ностальгией. Действительно, не этот ли город подарил ему многие часы глубокого творческого удовлетворения? Разве не здесь он провел много счастливых дней в тесной близости со своей семьей и дружбе со Струве? В дальнейшем он не раз будет возвращаться сюда на более или менее продолжительные сроки.

По возвращении в Россию Рахманинов поехал в Ивановку, родовое поместье Сатиных в Тамбовской губернии, где он обыкновенно проводил лето[7]. Это имение, знакомое Рахманинову с раннего детства, находилось в пятистах километрах южнее Москвы, в плодородном черноземном крае. Основные интересы всех помещиков и сельских жителей были, естественно, сосредоточены на сельских проблемах. Ведение хозяйства оживленно дискутировалось и было центром всеобщих забот. Рахманинов, проведший детство среди совершенно других пейзажей, в северной России, отличавшейся разнообразным и красивым ландшафтом, поначалу скучал от однообразия и пустынности полей южной России. Он не мог привыкнуть к простиравшейся до самого горизонта плоской равнине, чья монотонность не прерывалась ни единым леском, рощей или хотя бы единственным кустиком. Но постепенно в нем стала расти любовь к этим бескрайним пространствам, сокращающим расстояния, сладостному аромату лугов, ничем не стесняемой свободе.

От отца Рахманинов унаследовал страсть к лошадям. Он ездил верхом, скакал, как заправский наездник, и находил большое удовольствие, тренируя необъезженных коней. Каждую свободную минуту, которую он мог вырвать из своего по минутам расписанного дня, Рахманинов проводил в нолях. Едва ли кто-нибудь из встречных, видя, как он с трудом вышагивает по свежей борозде за плугом, мог вообразить, что высокий фермер в сапогах для верховой езды, в просторной рабочей рубахе, с неизменной сигаретой в зубах — величайший музыкант своего времени. Вздыхая, Рахманинов часто завидовал своему шурину Сатину и всем, кто был меньше занят, не должен был писать и изучать партитуры, играть на фортепиано и мог посвящать больше времени сельским заботам.

Рахманинов потратил немало денег на поместье, покупая сельскохозяйственные машины, племенной скот, прекрасных лошадей и прочес. Его глубоко огорчал каждый просчет в управлении имением, причем отнюдь не с материальной точки зрения, но потому, что не сбывались ожидания. С другой стороны, каждый успех в посевной или обработке полей, удача в коневодстве наполняли его радостью, а новые статьи дохода приводили в хорошее настроение. Я бы хотел упомянуть здесь, что незадолго до начала мировой войны Рахманинов выкупил Ивановку у своего свекра и совместно с шурином взял на себя управление имением[8].

Именно тогда Рахманиновым овладела и другая «страсть», во власти которой он находится по сей день: любовь к автомобилю. Живя в деревне, он часто совершал

Гербъ рода Рохманиновыхъ. потомства Герасима и Өедора Іевлевыхъ дѣтей Рохманиновыхъ.

Щитъ раздѣленъ перпендикулярно на двѣ части, изъ коихъ въ правой въ черномъ полѣ, между тремя серебреными пятиугольными Звѣздами, поставлено золотое Стропило, съ тремя на ономъ горящими Гранадами натуральнаго цвѣта. Въ лѣвой части въ зеленомъ полѣ крестообразно положены два золотыя Копья, связанныя красною тесьмою, и надъ ними видна шестиугольная серебреная Звѣзда; а въ низу копьевъ серебреная же Луна, рогами въ верхъ обращенная. Щитъ увѣнчанъ обыкновеннымъ дворянскимъ Шлемомъ, на которомъ наложена Лейбъ-Компанiи гранодерская Шапка съ четырмя Строусовыми перьями краснаго и бѣлаго цвѣта, а

Варвара Васильевна
Рахманинова,
бабушка композитора

Аркадий Александрович
Рахманинов,
дед композитора

Софья Александровна
Бутакова,
бабушка композитора
с материнской стороны.
1890-е

Петр Иванович
Бутаков,
дед композитора

Любовь Петровна
Рахманинова,
мать композитора

Василий Аркадьевич
Рахманинов,
отец композитора

Сергей Рахманинов.
1896

Николай Сергеевич Зверев с учениками. Сидят: А. Н. Скрябин, Н.С. Зверев, А. М. Черняев, М. Л. Пресман; стоят: С. В. Самуэльсон, Л. А. Максимов, С. В. Рахманинов, Ф. Ф. Кёнеман. 1888

Александр Зилоти и Сергей Рахманинов. 1902
Сергей Рахманинов. 1897

Рахманинов и семья Сатиных в Ивановке. 1890-е годы
Стоят (слева направо): София Сатина,
Сергей Рахманинов, Александр Сатин, отец Николай,
Юлий Крейцер и Михаил Бакунин.
Сидят (слева направо): Варвара Сатина, Наталья Сатина,
Елена Крейцер

Сергей Рахманинов со своей собакой Левко
на мостках у реки Хопёр близ имения Красненькое. 1899

Сергей Рахманинов.
1910-е годы

Сергей Рахманинов за рулем своего автомобиля Лорелей.
Ивановка, 1912

С дочерьми Ириной, в замужестве Волконской (1903–1969) — стоит, и Татьяной, в замужестве Конюс (1907–1961) на даче в окрестностях Дрездена на Эмзер Аллее. 1924

Наталия Александровна и Сергей Васильевич Рахманиновы на даче в Беверли-Хиллс. 1942

С женой Наталией. Дарственная надпись: «Нашей дорогой Танюше. Мама. Папа. Январь 193(?). Чикаго (?)

Сергей Рахманинов и Федор Шаляпин. Конец 1890-х годов.
Их дружба продолжалась долгие годы…

Петр Ильич Чайковский.
1888

В своем кабинете. Синар,
1930-е годы

Теперь, когда большая часть моей жизни уже позади, я постоянно терзаюсь подозрениями, что, выступая на многих поприщах, может быть, прожил жизнь не лучшим образом...

Сергей Рахманинов: «Если вы хотите меня знать, то слушайте мою музыку...»

долгие или короткие поездки, навещая соседей, друзей, родственников, причем всегда сам вел свой автомобиль. Случалось, что его далекие путешествия занимали целый день, но он все равно не отдавал руль шоферу, сидевшему рядом. Эти поездки служили величайшим отдохновением и никогда не утомляли его; он возвращался всегда счастливым, посвежевшим, в отличном настроении. Рахманинов признавался, что только за рулем освобождался от музыкальных образов, которые постоянно преследовали его. Никакого иного отдыха он не позволял себе, поскольку если Рахманинов не сочинял, то совершал концертные турне, а если в данный момент не был на гастролях, то готовился к следующим, занимаясь на рояле или изучая партитуры.

«Хороший дирижер должен быть хорошим шофером, — любил шутить Рахманинов, — обоим нужны одни и те же качества: сосредоточенность, непрерывное напряженное внимание и присутствие духа. Дирижеру остается лишь немного знать музыку...»

Во время пребывания в Дрездене Рахманинов не без колебаний принял приглашение в Америку на осень 1909 года. Как это часто с ним бывало, определенный план на будущее оказывал на музыканта стимулирующее воздействие, и этот ангажемент привел его к замыслу одного из лучших произведений — Третьего концерта для фортепиано (op. 30), который в сравнении с его более ранними сочинениями обнаруживает большую зрелость, не теряя при этом обаяния и свежести фантазии.

Из Ивановки Рахманинов возвратился в Москву, где поселился в своей старой квартире на Страстном бульваре. В музыкальном мире Москвы, взволнованно следившем за каждым шагом своего любимца, поползли слухи о Третьем концерте. Несколько избранников, познакомившихся с фрагментами Концерта в клавире, намекали на чудеса, особенно восхищаясь каденцией, где, в отличие от предыдущих фортепианных концертов Рахманинова, к роялю присоединяется оркестр. Но Москве пришлось сдержать свое любопытство и подождать некоторое время, прежде чем услышать новое сочинение, — первое исполнение Третьего концерта для фортепиано состоялось в Нью-Йорке[9].

Глава девятая
РАСЦВЕТ
1909—1914

Первая поездка в Америку. — Третий концерт для фортепиано. — Бостонский симфонический оркестр и Макс Фидлер. — Воспоминания о Густаве Малере и Нью-Йорке. — Возвращение в Москву. — Вице-президент Императорского русского музыкального общества — помощник Великой княгини Елены Георгиевны. — Разделение сфер влияния. — «Керзинские концерты» в Москве. — Рахманинов — дирижер Филармонических концертов в Москве. — Антагонизм Скрябина и Рахманинова. — «Колокола». — Временное пребывание в Риме.

С тяжелым сердцем отправился Рахманинов в поездку по Америке в октябре 1909 года[1], ведь за шесть лет семейной жизни он не расставался с женой и детьми более чем на несколько дней. Представители концертной организации Вольфсон-бюро в Нью-Йорке пригласили его на двадцать концертов, в которых он должен был выступать и как пианист, и как дирижер. Ему предстояло работать с Бостонским симфоническим оркестром под управлением Макса Фидлера в коротком турне, в течение которого они должны были посетить Кембридж, Балтимор, Филадельфию, Нью-Йорк и Бруклин. Кроме того, Рахманинова ждали симфонические оркестры в Нью-Йорке и других городах. Послушаем, что рассказал сам Рахманинов о первом турне в страну, которой суждено будет сыграть такую большую роль в его последующей жизни.

Я написал Третий концерт специально для Америки и впервые должен был исполнить его в Нью-Йорке с оркестром под управлением Вальтера Дамроша. Так как летом у меня не было времени заниматься и я не слишком хорошо знал некоторые пассажи, пришлось взять с собой немую клавиатуру, на которой и упражнялся во время плавания. Кажется, тогда я в первый и последний раз воспользовался этой механической игрушкой, которая в тот момент, однако, оказалась как нельзя более кстати.

Во время турне с Фидлером и Бостонским симфоническим оркестром я играл свой Второй концерт. Фидлер, которому, по всей видимости, нравились одинаково и Концерт, и его автор, во время всего путешествия был чрезвычайно внимателен и предупредителен по отношению ко мне. Однажды он предложил мне продирижировать с его оркестром «Островом мертвых», и я с благодарностью согласился. В ходе этого сезона он исполнил также мою Вторую симфонию и, я думаю, оказался с тех нор единственным немецким дирижером, включившим в свою программу «Колокола». Успех, с которым я исполнил симфоническую поэму «Остров мертвых», привел к тому, что Бостонский симфонический оркестр предложил мне стать преемником Фидлера. Но хотя работа с этим великолепным оркестром представляла несравненное удовольствие, я отклонил предложение. Перспектива долгого отсутствия в Москве, независимо от того, окажусь ли я с семьей или без нее, представлялась мне абсурдом. Однако я был счастлив из-за высокой оценки моей работы, отразившейся в этом предложении.

Как я уже упоминал, мой Третий фортепианный концерт впервые исполнялся в Нью-Йорке под управлением

Дамроша. Вскоре после этого я повторил его там же, но под управлением Густава Малера[2].

В то время я считал, что Малер — это единственный дирижер, равный по классу Никишу! Он немедленно завоевал мое композиторское сердце, взявшись аккомпанировать Концерт и доведя аккомпанемент, довольно-таки трудный, до совершенства: дирижер посвятил работе над ним долгую репетицию, хотя она была назначена после другой, тоже весьма продолжительной. Малер считал, что в партитуре важна каждая деталь — отношение, редко встречающееся у дирижеров.

Репетиция начиналась в десять часов. Я должен был прийти к одиннадцати и явился минута в минуту. Но мы не принимались за работу до двенадцати. За оставшиеся полчаса репетиционного времени я должен был сделать все, что в моих силах, со своим сочинением, которое само по себе длится тридцать шесть минут. Мы играли и играли... Давно прошли полчаса, но Малер не обратил на это ни малейшего внимания. Я до сих пор помню очень характерный для него инцидент. Малер был невероятным педантом в отношении дисциплины. Это качество я считаю необходимым дли успешной работы дирижера. Мы дошли до довольно неудобного штриха в пассаже струнных в третьей части. Вдруг Малер, который дирижировал этот кусок *a tempo*, поскучал палочкой по пульту: «Стоп! Не обращайте внимания на штрих, указанный в ваших партиях... Играйте вот так» — и показал, как играть это место другим штрихом. После того как он заставил первые скрипки повторить пассаж три раза подряд, скрипач, сидящий за одним пультом с концертмейстером, положил свою скрипку:

— Я не могу играть таким штрихом.

Малер (совершенно невозмутимо):

— А какой штрих вы бы предпочли?

— Указанный в партитуре.

Малер вопросительно посмотрел на концертмейстера первых скрипок и, прочтя в его взгляде то же мнение, снова постучал палочкой:

— Пожалуйста, играйте, как указано!

Это происшествие было решительным отпором дирижеру, так как великолепный руководитель Московского филармонического оркестра показал мне этот спорный штрих как единственно возможный для того, чтобы сыграть данный пассаж. Мне было очень интересно наблюдать во время этой сцены за поведением Малера. Он сохранил полное достоинство. Следующее замечание касалось партии контрабасов — хотелось бы, чтобы они играли потише. Малер остановил оркестр и обратился к музыкантам:

— Мне бы хотелось попросить джентльменов сделать более выразительное *diminuendo* в этом куске, — и, повернувшись к любящему поспорить соседу концертмейстера, с едва заметной улыбкой добавил: — Я надеюсь, вы не возражаете.

Через сорок пять минут Малер произнес:

— А теперь повторим первую часть.

У меня сердце замерло в груди. Я ждал дикого скандала или по крайней мере горячего протеста со стороны оркестрантов. Это, безусловно, произошло бы в любом другом оркестре, но здесь я не заметил ни малейших признаков неудовольствия. Музыканты играли первую часть с жаром и, может быть, даже с большим старанием, чем в первый раз. Наконец мы закончили. Я подошел к дирижерскому пульту, и мы стали вместе смотреть партитуру: Музыканты в дальних рядах оркестра стали спокойно укладывать в футляры свои инструменты, готовясь уходить. Малер взорвался:

— Что это значит?!

Концертмейстер:

— Уже половина второго, маэстро.

— Это не имеет никакого значения! Пока я сижу, ни один музыкант не имеет нрава встать!

В начале репетиции Малер проходил с оркестром «Фантастическую симфонию» Берлиоза. Он дирижировал ее потрясающе, в особенности эпизод «Шествие на казнь», где ему удалось достичь такого *crescendo* у медных, какого мне еще никогда не доводилось слышать в этом месте: оконные стекла дрожали, казалось, что даже стены вибрируют...

За время пребывания в Соединенных Штатах я дважды выступил в роли дирижера: первый раз в Чикаго, а во второй — в Филадельфии, с Филадельфийским симфоническим оркестром. Оба раза я дирижировал Второй симфонией[3].

В начале февраля Рахманинов возвратился в Москву[4]. Здесь его ожидало единственное в своем роде почетное предложение, которого с тех пор никто и никогда больше не удостаивался. В тогдашних официальных музыкальных кругах России оно свидетельствовало о высшем признании. Чтобы объяснить его значение, надо коротко рассказать об организации музыкальной жизни России того времени.

В 1862 году Антон Рубинштейн основал Санкт-Петербургскую консерваторию. Четыре года спустя его брат, Николай Рубинштейн, последовал его примеру в Москве. Почти в то же самое время возникло вдохновленное идеей Антона Рубинштейна Русское музыкальное общество, которое вскоре получило статус Императорского музыкального общества. Пост президента Императорского русского музыкального общества всегда принадлежал одному из членов царствующей фамилии. Президент следил за музыкальной жизнью всей России. Он являлся высшим музыкальным авторитетом не только в двух консерваториях, Петербургской и Московской, но и во всех музыкальных учебных заведениях различных российских городов. Все они были организованы по образу и подобию московских и петербургских, но уступали им по масштабу. Они также имели статус Императорских. Все сравнительно крупные города России гордились своими консерваториями — в то время их насчитывалось больше двадцати.

Первым президентом Императорского русского музыкального общества стала Великая княгиня Елена Павловна, принцесса Вюртембергская, такая же страстная любительница музыки, как княгиня Елена Георгиевна. На этом посту ее сменил известный любитель и покровитель искусств Великий князь Константин Николаевич, а позднее его сын Великий князь Константин Константинович — поэт «К. Р.», друг Петра Ильича Чайковского.

В 1909 году согласно императорскому указу пост президента Императорского русского музыкального общества была призвана занять Елена Георгиевна, принцесса Саксен-Альтенбургская. По статусу требовалось, чтобы у президента ИРМО в качестве помощников было два вице-президента: один — по административной линии, другой — по музыкальной. Последний пост до сих пор оставался свободным, и с момента основания ИРМО Рахманинов стал первым музыкантом, которого принцесса Саксен-Альтенбургская позвала занять его[5]. Это, конечно, было большой честью. Такой пост можно сравнить, например, с должностью заместителя министра образования. Поразительно высокий, одинаковый во многих городах России уровень музыкального образования был в огромной степени обязан безупречности и единообразию организации ИРМО. Это относится исключительно к досоветскому периоду.

Возможность работать во имя развития музыкальной культуры в России, активная позиция, направленная на дальнейшее ее развитие, требовали склонить к участию в этом деле человека, достаточно любящего музыку и обладающего необходимой энергией и ловкостью,

Великая княгиня Елена Георгиевна отличалась необыкновенным умом, и ее действиями всегда руководили самые высокие побуждении. Тот факт, что она позвала к себе в качестве помощника Рахманинова, является доказательством ее высокого интеллекта и проницательности.

Единообразная организация музыкального образования, введенная братьями Антоном и Николаем Рубинштейнами в консерваториях и училищах ИРМО, на самом деле начинала в некотором роде терять высоту. После смерти необычайно талантливых братьев прошли десятилетия. Их безукоризненная до той поры репутация во всех учреждениях Музыкального общества постепенно стала снижаться. Наступил самый подходящий момент, чтобы какой-нибудь высокий музыкальный авторитет взял дело в свои руки. Конечно, более всего это относилось к многочисленным музыкальным училищам в провинции — обстоятельство, которое немедленно обратило на себя внимание Рахманинова.

Во главе Петербургской консерватории стоял Александр Глазунов. Совет преподавателей, равно как и студенты, высоко ценил необыкновенную музыкальную одаренность этого превосходного человека, его высокие моральные качества, свойственное ему огромное обаяние. Здесь Рахманинов мог быть совершенно спокоен. В Московской консерватории, где художественный уровень Совета преподавателей был необычайно высоким, на смену Сафонову пришел его способный последователь Ипполитов-Иванов. И в той и в другой консерваториях, учеником которых он когда-то был, деятельность Рахманинова в основном заключалась в том, чтобы вести переговоры с выдающимися музыкантами и намечать основные этапы музыкального образования. Он должен был высказать свое мнение и по поводу сложных программ обучения по отдельным специальностям — короче говоря, выработать основную структуру организации музыкального образования в России, с тем чтобы совершенствовать ее все больше и больше.

По-иному обстояло дело с провинцией. Музыкальные училища ИРМО существовали в Астрахани, Харькове, Кишиневе, Киеве, Николаеве, Одессе, Ростове-на-Дону, Саратове, Тамбове, Тифлисе, Варшаве, Екатеринодаре, Екатеринославе, Баку, Иркутске, Нижнем Новгороде, Орле, Пензе, Ставрополе, Томске, Вильно и других, маленьких, городах. Здесь открывалось широкое поле деятельности для стимулирования и совершенствования обучения музыке во всех направлениях. Для того чтобы увидеть положение дел своими глазами, Рахманинов предпринял продолжительную поездку по России.

Музыкальный мир южной России, Украины, как она теперь неправильно называется, уже долгое время с завистью смотрел на север. И Петербург, и Москва могли гордиться своими учреждениями, имеющими статус консерватории, где курс обучения был приравнен к любому университету империи. Окончание консерватории давало такие же права, как и окончание университета. Но в Киеве, главном городе Украины, колыбели России, где были заложены основы империи, Киеве, который слыл большим городом в те времена, когда Москва была провинцией, а Петербург не существовал вовсе, действовало всего лишь музыкальное училище, то есть учебное заведение второго класса. Бесчисленные петиции с требованием изменить статус Киевского музыкального училища и превратить его в консерваторию неизменно встречали отказ по причинам, в основе которых были отнюдь не художественные, но исключительно политические мотивы. Никому не хотелось увеличивать ни количество университетов в этом взрывоопасном и проникнутом сепаратистскими настроениями регионе, ни количество студентов, издавна известных выступлениями против порядка и законов. Одной из первых акций Рахманинова, приступивших к своим новым обязанностям, было обращение к Великой княгине Елене Георгиевне с просьбой предоставить Киевскому музыкальному училищу статут консерватории. Рахманинов находил основания для такой просьбы в том, что, высоко оценив достоинства Киевского музыкального училища, считал: обширные области южной России испытывают насущную необходимость в существовании консерватории. Его предприятие увенчалось успехом: путем привлечения выдающихся педагогических сил, под руководством замечательного композитора Рейнгольда Глиэра, новая консерватория обрела достойное положение и скоро продемонстрировала большие художественные достижения.

В течение короткого времени, когда Рахманинов занимал пост вице-президента ИРМО, не только его музыкальные возможности и энергия, но и дипломатические данные, его тонкий такт подверглись серьезнейшим испытаниям. Не будем скрывать, что во время многочисленных поездок, когда он инспектировал музыкальные учебные заведения в российских провинциях, ему часто приходилось вступать в конфликт и разногласия с местным начальством, главным образом с Советами попечителей музыкальных училищ. Они состояли в основном из богатых купцов, лиц, входящих в состав городских властей, и других местных магнатов. Как мы уже знаем, Рахманинов был абсолютно непоколебим в своих художественных взглядах и решениях, равно как и в вопросах морального плана. К несчастью, бестактность одного из членов Совета попечителей, с которым Рахманинов не мог согласиться, привела к тому, что Рахманинов решил оставить свой пост, поскольку его интересы были сосредоточены исключительно на художественных проблемах, а вовсе не на их политических или социальных аспектах, в которые он оказался втянутым помимо своего желания[6].

Бесспорно, для музыкальной жизни в России столь скорый и неожиданный разрыв плодотворного сотрудничества между Великой княгиней Еленой Георгиевной и Рахманиновым явился несомненной потерей. Рахманинов завершает рассказ об этом эпизоде своей жизни такими словами:

«С большим сожалением я расставался с Великой княгиней Еленой, к которой испытывал во время нашей совместной работы чувство глубочайшего уважения. Она благословила все мои начинания в направлении усовершенствования музыкального образования, которые мне хотелось ввести, даже если они требовали для своего осуществления солидных денежных сумм. Я всегда буду с благодарностью вспоминать период нашего сотрудничества, когда ее щедрое великодушие дало мне возможность оказать помощь многим бедным музыкантам».

Не считая концертных турне по Германии и Англии, во время которых Рахманинов играл исключительно свои концерты для фортепиано с оркестром, годы с 1910-го по 1914-й он прожил в России[7]. Композитор отказался от еще одного привлекательного турне по Америке, помня о том, как тяжело он переносил одиночество во время первых продолжительных гастролей по Соединенным Штатам.

Рахманинов и не подозревал, что в недалеком будущем и при гораздо менее благоприятных обстоятельствах ему суждено будет предпринять это путешествие.

В последние годы жизни в России Рахманинов почти перестал выступать как пианист, поскольку придавал гораздо большее значение своей дирижерской деятельности. Он начал с того, что продирижировал несколькими «Керзинскими концертами», которые становились все более заметным явлением в музыкальной жизни Москвы. Так как маленькие залы не могли вместить растущую аудиторию, для этих концертов стали снимать более вместительные, пока в конце концов не арендовали самый большой концертный зал Москвы — зал Благородного собрания, где обычно проходили филармонические концерты. «Керзинские концерты» отличались необычайно демократической атмосферой. Эта атмосфера и дешевые билеты в момент все более широкого распространения демократии явились главными причинами их сногсшибательного успеха. Никто из устроителей или участников «Керзинских концертов» не зарабатывал на них деньги — единственной целью этих вечеров было предоставить возможность неимущим слоям населения послушать хорошую музыку. Уже в начале сезона все билеты бывали распроданы. Появление за дирижерским пультом Рахманинова подняло популярность «Керзинских концертов» на новую, невероятную высоту.

Удовольствие, которое Рахманинов получал от дирижирования, привело к тому, что он принял приглашение стать главным и постоянным дирижером Московских филармонических концертов на сезоны 1911/12 и 1912/13 годов[8]. Он получил бóльшую свободу выбора программ, чем на «Керзинских концертах», которые представляли слушателям обыкновенно только русскую музыку. Тщательно подготовленные программы и обаяние личности Рахманинова по-прежнему творили чудеса с московской публикой, которая не упускала возможности приветствовать его бурей аплодисментов почти на каждом концерте.

Многообразие таланта — это скорее тяжкий груз, чем Божье благословение, и именно так оно и было в жизни Рахманинова. Ему всегда сопутствовал успех, независимо от того, играл ли он на рояле, дирижировал или сочинял. Но одно было ясно: его работа композитора очень страдала от исполнительской деятельности, будь то в Москве, провинциальных городах или за границей, а также во время его добросовестной службы на посту вице-президента ИРМО. Все это отнимало слишком много времени.

Творческий актив Рахманинова за эти три года оказался и в самом деле довольно скудным. Кроме Третьего концерта он сочинил только три произведения, среди которых впервые появилась крупная форма духовной музыки. Он написал «Литургию Иоанна Златоуста» (ор. 31)[9], которая тотчас по своему завершению была отрепетирована и исполнена великолепным Московским синодальным хором. В этом сочинении он не придерживался строгих канонов церковной музыки, с которыми был прекрасно знаком еще с детства. Высшие церковные власти критиковали композитора за «модернистский дух» и исключили «Литургию» из церковной службы. Рахманинов издал также два цикла фортепианных пьес: тринадцать прелюдий (ор. 32), которые вместе с написанными прежде пьесами подобного рода составили цикл из двадцати четырех прелюдий, как и у Шопена, написанных во всех тональностях. Затем последовали шесть «Этюдов-картин» (ор. 33). Впредь Рахманинов будет называть так все свои фортепианные пьесы, поскольку вдохновение, посещавшее его во время их сочинения, часто рождалось из живописных или навеянных природой впечатлений. И наконец, тринадцать романсов (ор. 34), включавших «Вокализ», вокальную пьесу без слов, посвященную известной московской певице, обладательнице колоратурного сопрано госпоже Неждановой. Вскоре этой пьесе будет суждено облететь все концертные залы мира. Согласно старому и священному обычаю Рахманинов впервые исполнил свои фортепианные пьесы на «Тюремных благотворительных концертах» княжны Ливен.

Впервые в жизни Рахманинова его фортепианные произведения не вызвали единодушного безудержного восхищения прессы, к которому он уже привык, В то время как публика оказала ему горячий прием, в газетах композитора критиковали за недостаток творческого воображения и одну за другой выдвигали разные претензии. Больше всего упрекали его в «несовременности», в том, что он отстал от развития современного музыкального мышления. Насколько же отличается от него в этом отношении, утверждали они, показывая жало, Скрябин!

Незадолго перед тем Скрябин вернулся в Москву и был провозглашен музыкальной звездой первой величины. Он покинул Москву несколько лет назад[10], потому что москвичи смеялись над его манией к «иррациональной гармонической реформе», как они ее называли. Но Сергей Кусевицкий, бывший виртуоз-контрабасист, а ныне дирижер и глава своего симфонического оркестра, вызвал обиженного композитора обратно в Москву и н доходчивой форме представил его творения публике в собственных концертах. Поначалу публика не испытывала никаких чувств, кроме удивления, но вскоре стала выказывать истинный энтузиазм к музыке Скрябина. Это был момент, когда часть прессы, исповедовавшая крайне левые взгляды и заявлявшая во всеуслышание свои революционные воззрения среди прочего и на музыку, начала нападать на своего прежнего «бога» — Рахманинова, с тем чтобы ниспровергнуть его и возвести на престол нового идола — Скрябина. Критикам, однако, не удалось внушить свое мнение слушателям; на афишах концертных залов, как и прежде переполненных, по-прежнему стояло имя Рахманинова, тогда как Скрябин давал концерты в полупустых помещениях. Пресса левого толка утешала себя старой поговоркой относительно отсутствия пророка в своем отечестве. Легко представить, что антагонизм в прессе по поводу Скрябина и Рахманинова, нередко очень острый, не мог способствовать развитию между композиторами дружеских отношений. Естественно, что Рахманинов, с его уравновешенной жизненной позицией, основанной на реальности, неуютно чувствовал себя в стихии болезненной скрябинской философии, возникшей на зыбкой основе мистической теософии. Однако Рахманинов с поразительной беспристрастностью в полной мере признавал огромный музыкальный талант своего соперника и неоднократно совершенно ясно давал понять, что он выше мелочных выходок прессы. Одним из первых произведений, которое он исполнил по возвращении из Дрездена, стала Первая симфония Скрябина[11]. Рахманинов увидел партитуру этого сочинения во время своего приезда в Лейпциг, и она немедленно завладела его вниманием. Почти сенсационное изумление охватило всю Москву, когда несколько позже Рахманинов, главный дирижер Филармонических концертов, пригласил в качестве солиста для одного из своих первых концертов Скрябина[12]. Слушателей, увидевших, как два «врага» мирно сосуществуют на сцене, охватил прилив небывалого энтузиазма. Изящный, нервный Скрябин сидел за роялем, а Рахманинов, с характерным для него спокойным достоинством, возвышался над ним на несколько голов, стоя за дирижерским пультом. Это было незадолго до того, как Рахманинов представил еще более очевидные доказательства своего беспристрастного и искреннего дружеского расположения к Скрябину, свободного от каких бы то ни было признаков личной неприязни. Но об этом мы расскажем в следующей главе.

Однако не исключено, что растущая слава Скрябина-композитора подтолкнула Рахманинова к решению, которое он принял в конце сезона 1912/1913 годов[13]. Скрябин к тому времени достиг зенита творческой и созидательной энергии, Рахманинов же, должно быть, не чувствовал удовлетворения, задумываясь об итогах последних лет. «Наверное, те, кто считает, что я потерял форму, правы, — мог думать Рахманинов. — Я почти ничего не написал».

Отступив от привычки, сложившейся за многие годы, он провел лето не в Ивановке[14]. К концу зимы вместе с женой и детьми Рахманинов уехал в Швейцарию, где надеялся найти спокойное пристанище после напряженной работы во время сезона. Оттуда он с семьей переехал в Рим, мечтая вновь попробовать воссоздать мирную атмосферу, которой когда-то наслаждался в Дрездене. Благословенная атмосфера Рима уже не однажды служила источником вдохновения для композиторов всех национальностей, включая Чайковского. Сам Рахманинов говорит:

«В Риме мне удалось снять ту же самую квартиру на Пьяцца-ди-Спанья, в которой долгое время жил Модест Чайковский и которая служила его брату временным убежищем от многочисленных друзей. Она состояла из нескольких тихих прохладных комнат, принадлежащих доброму портному. Мы с женой и детьми поселились в пансионе, и каждое утро я отправлялся в эту квартиру, чтобы сочинять. Я работал до самого вечера и ел только один раз:

скудный завтрак состоял из подозрительного напитка, который назывался кофе.

Ничто не помогало мне больше, чем одиночество. По-моему, сочинять можно только в полном одиночестве и в полной изоляции от внешних обстоятельств, которые могут спугнуть спокойный ход мыслей. В моей квартире на Пьяцца-ди-Спанья эти условия соблюдались идеально. Весь день я проводил у рояля и письменного стола и не откладывал пера, пока заходящее солнце не золотило сосны Монте-Пинчо. Так я в сравнительно короткий срок закончил свою Вторую сонату для фортепиано и симфонию с хором — я бы не назвал ее кантатой — «Колокола». Желание написать «Колокола» явилось мне из довольно-таки неожиданного источника. Предыдущим летом я уже набросал план симфонии. В один прекрасный день я получил анонимное письмо от одного из тех людей, которые постоянно преследуют художников своими более или менее приятными знаками внимания. Автор просил прочитать замечательный перевод Бальмонта стихотворения Эдгара По «Колокола», уверяя меня, что стихи идеально ложатся на музыку и наверняка привлекут именно меня. Я прочитал вложенные в конверт стихи и немедленно решил воспользоваться ими для задуманной симфонии с хором. Структура стихотворения требовала четырехчастной симфонии. С тех пор как Чайковский подал пример мрачного и медленного финала, подобная идея уже не казалась странной. Это произведение, над которым я работал в лихорадочном возбуждении, и по сей день остается, на мой взгляд, лучшим из моих сочинений; после него появилось «Всенощное бдение», а затем последовал долгий перерыв.

Я посвятил «Колокола» Виллему Менгельбергу и его поразительному оркестру «Концертгебау» в Амстердаме. Мне всегда доставляло особенное удовольствие выступать с этим оркестром. Тогда же я написал Вторую сонату для фортепиано, которую продолжаю исправлять, так как до сих пор недоволен фактурой. Сонату я посвятил другу детства Пресману.

С сожалением приходится сказать, что мое пребывание в Риме закончилось печально и преждевременно. Плану провести зиму в Вечном городе не суждено было сбыться. Обе наши дочери заболели брюшным гифом, и мы повезли больных детей в Берлин, где их состояние, особенно Татьяны, резко ухудшилось. Мы проводили долгие и трудные дни в ожидании самого худшего, но моя вера в немецких врачей оправдалась. Дочерей лечил доктор по фамилии Зусманн, и только благодаря его добросовестности и самоотверженной заботе — нередко он приходил к нам по три раза в день — наше дитя было спасено. Я никогда не сумею достаточно отблагодарить его за все, что он сделал. Мы пробыли в Берлине более шести недель. Когда обе девочки поправились, мы стали готовиться к отъезду в Москву, потому что я растерял все свое мужество и не мог продолжать римскую идиллию».

В начале сезона 1913/1914 года Рахманинов дважды блестяще исполнил «Колокола»: один раз и Москве (с Филармоническим оркестром), а второй — в Санкт Петербурге (в одном из концертов Зилоти)[15]. Но несмотря на большой успех, которым сочинение пользовалось на обоих концертах, у композитора сложилось впечатление, будто ни пресса, ни публика не оценили его по достоинству. Мы знаем, что он ставил «Колокола» выше всех своих произведений. На этих страницах нет возможности судить о том, насколько он прав, потому что из-за чисто технических сложностей, связанных с исполнением этого произведения, оно не могло быть повторено тотчас, а вскоре разразилась война и сокрушила все ценности России, включая рахманиновские «Колокола».

В январе 1914 года композитор предпринял концертное турне по Англии. На этот раз разлука с семьей угнетала Рахманинова более чем обычно. Накануне его отъезда в Англию знаменитый французский пианист Рауль Пуньо, приехавший в Москву, чтобы дать там концерт, совершенно неожиданно умер от сердечного приступа в номере своей гостиницы — в одиночестве, без помощи, без друзей. Этот печальный инцидент произвел сильное впечатление на музыкальные круги Москвы, и Рахманинову запала в голову мысль, что такая же судьба может постигнуть его в Англии. Он старался аннулировать контракт, но это оказалось невозможным.

Осенью 1914 года ему удалось организовать исполнение «Колоколов» в Шеффилде. Однако все труды, потраченные на подготовку этого концерта (помимо всего прочего, обратный перевод стихов Аллана По, эквиритмичный, что не способствовало улучшению стихотворения великого американского поэта), пропали впустую. Концерт не состоялся, а поездка оказалась последней из предпринятых Рахманиновым на много лет вперед. Потому что в августе 1914 года разразилась мировая война.

Глава десятая
ВОЙНА И РЕВОЛЮЦИЯ 1914—1919

Начало мировой войны. — Активная благотворительная концертная деятельность. — «Всенощное бдение». — Смерть Скрябина и Танеева. — Февральская и Октябрьская революции 1917 года. — Решение покинуть Россию. — Перст судьбы. — Турне по Скандинавии. — Копенгаген. — Рахманинов отклоняет предложение стать постоянным дирижером в Бостоне, но принимает решение оставить Европу и искать свое счастье в Америке.

Пожар вспыхнувшей войны неминуемо должен был отразиться на внутренней жизни стран, вовлеченных в нее. Никто не представлял себе истинное значение европейской войны, не мог предвидеть последствий этого бессмысленного катаклизма, которому суждено было привести воюющие страны — и в том числе Россию — к гибели. Россия, как и все другие страны, катилась на волнах «патриотизма», возбужденного беззастенчивой, недобросовестной прессой. К тем, кто не примкнул к бездумному и поверхностному ура-патриотизму, относились с неодобрением и подозрительностью.

Рахманинов всегда испытывал глубокое уважение к немецкому искусству и науке, а годы, проведенные в Дрездене, научили композитора любить и понимать немецкий характер, исключая одну-две черты, о которых он судил с добродушной иронией русского человека, привыкшего более широко смотреть на жизненные проблемы. Рахманинов не мог заставить себя присоединиться к общему, вызванному войной опьянению ненавистью к Германии, доведенному до истерии. Более того, многие из его друзей и знакомых в России, такие как Струве и другие, принадлежали к так называемым полурусским-полунемцам и вскоре подверглись безжалостным преследованиям. Огромная и искренняя любовь Рахманинова к родной стране — одна из самых отличительных его черт — не могла заставить его симпатизировать политическим кульбитам (одним из которых была война), продиктованным разнузданным шовинизмом, или хотя бы одобрить их. Он оказался вовлеченным в многочисленные конфликты, внутренние и внешние, которые разрешал со свойственным ему бесстрашным спокойствием, советуясь только со своей совестью и следуя внутренним убеждениям.

Неожиданно вставшая перед всеми проблема обязательной военной службы стала оказывать гнетущее давление на каждого. Хотя в России существовала всеобщая воинская повинность, преподаватели, состоявшие на государственной службе, могли быть призваны только в крайнем случае. В момент объявления войны Рахманинов также состоял на государственной службе в качестве инспектора по преподаванию музыки в пансионе благородных девиц[1].

Не связанный никакими контрактами с музыкальными обществами или другими организациями, Рахманинов в военные годы стал, по собственному определению, «свободным художником без определенных занятий». Границы были закрыты; зарубежные гастроли исключались. Рахманинов стал чаще, чем в мирное время, выступать как пианист. Поскольку музыкант не мог и не хотел проявлять активность на «бранном поле», он нашел большое удовлетворение в том, чтобы предоставить свои способности и свое имя в распоряжение всех мероприятий, связанных с помощью больным и раненым. Он давал благотворительные концерты сам или принимал участие в благотворительных концертах, организованных другими людьми[2].

Несмотря на всю эту бурную деятельность, Рахманинов находил время для сочинения даже во время войны. Зимой 1915 года он написал «Всенощную», которая немедленно поставила его в первые ряды русских композиторов, сочиняющих духовную музыку. Рахманинов думал, что во «Всенощной» ему удалось наконец добиться единства между мелодиями «Обихода» и западным контрапунктом — мечта, которую задолго до него вынашивал Глинка. Рахманинов говорит:

«Я сочинил «Всенощное бдение» очень быстро: оно было закончено меньше чем за две недели. Мысль записать ее пришла ко мне непосредственно после того, как я прослушал «Литургию», которая, кстати сказать, мне совершенно не понравилась, поскольку не отвечала требованиям русской церковной музыки. Еще в детстве меня пленили великолепные мелодии «Обихода». Я всегда чувствовал, что их особый характер требует хоровой обработки, и надеялся, что мне удастся достичь этого во «Всенощной». Не стану отрицать, что первое исполнение «Всенощной» Московским синодальным хором подарило мне счастливый час удовлетворения[3]. Этот хор, который пел в московском Успенском кафедральном соборе, обычно давал свои редкие концерты в сравнительно небольшом зале Синодального училища. Но для исполнения литургии, посвященной жертвам войны, по распоряжению обер-прокурора Святейшего синода Самарина, который был также и предводителем московского дворянства, был предоставлен огромный зал Благородного собрания[1].

«Всенощное бдение» — это во многих отношениях трудное произведение: оно предъявляет огромные требования к голосовым возможностям и вокальной технике исполнителей. Однако великолепные певцы Синодального хора осуществили все мои намерения и временами даже превзошли ту идеальную звуковую картину, которая жила в моем воображении во время сочинения. В го время Синодальным училищем руководил композитор, создатель духовной музыки Кастальский. Красивое здание училища на Никитской было хорошо известно всей Москве. Колористическое и звуковое богатство, которые отличали произведения Кастальского, дают право назвать его «Римским-Корсаковым хоровой музыки». Его произведения и беседы с ним многому научили меня. Дирижером, или, точнее говоря, регентом Синодального хора был Н.М. Данилин. Подобно Кастальскому, Данилин тоже учился в Синодальном училище и в качестве его воспитанника был певчим знаменитого хора, которым впоследствии управлял с несравненной изысканностью ритмического и динамического ощущения. Я сыграл «Всенощную» Кастальскому и Данилину на рояле, сочинение им очень понравилось, и они сразу же попросили

---

[1] Сочинение вызвало настолько сильный интерес со стороны московских любителей музыки, что его пришлось повторить пять раз перед переполненным залом. Это была сенсация, привлекшая внимание даже среди огромных потрясений войны. Успеху немало содействовало великолепное исполнение его Синодальным хором. — *Примеч. О. фон Риземана.*

моего разрешения на его исполнение; я с радостью принял это предложение. В этом сочинении я больше всего любил один кусок — почти так же, как «Колокола», — из пятого гимна «Ныне отпущаеши раба Твоего, Владыко, с миром» (Евангелие от Луки, глава 2, стих 29). Я бы хотел, чтобы его исполнили на моих похоронах. В конце там есть место, которое поют басы, — гамма, спускающаяся вниз до нижнего *си-бемоль* в медленном *pianissimo*. Когда я сыграл это место, Данилин, покачав головой, сказал:

— Где на свете вы отыщете такие басы? Они встречаются так же редко, как спаржа на Рождество.

Тем не менее ему удалось отыскать их. Я знал голоса моих крестьян и был совершенно уверен, что к русским басам могу предъявлять любые требования! Публика всегда затаив дыхание слушала, как хор «спускается» вниз.

Особенно меня обрадовало, что «Всенощная» понравилась моему учителю Танееву — ведь он был очень злой на язык критик, в особенности когда дело касалось контрапункта. Его оценка, высказанная в почти восторженных выражениях, оказалась последней похвалой, которую я услышал из его уст, потому что, несмотря на совершенно цветущий вид, он в пятьдесят лет неожиданно скончался от осложнения после сильной простуды, которую, как говорили, подхватил на похоронах Скрябина»[4].

Через несколько дней после смерти Танеева (6/19 июня 1915 года) Рахманинов посвятил своему высокочтимому учителю некролог, написанный с большой теплотой и помещенный в «Русских ведомостях». Рахманинов коротко, но очень глубоко обрисовал образ Танеева. Слова Рахманинова выражали чувства не только их автора, но и всех, кто оплакивал смерть художника, — они заслуживают быть приведенными здесь:

«6 июня скоропостижно скончался Сергей Иванович Танеев: композитор-мастер, образованнейший музыкант своего времени, человек редкой самобытности, оригинальности, душенных качеств, вершина музыкальной Москвы, уже с давних нор, с непоколебимым авторитетом, занимавший по праву свой высокий поет до конца дней своих. Для всех нас, его знавших и к нему стучавшихся, это был высший судья, обладавший как таковой мудростью, справедливостью, доступностью, простотой. Образец во всем, в каждом деянии своем, ибо что бы он ни делал, он делал только хорошо. Своим личным примером он учил нас, как жить, как мыслить, как работать, даже как говорить, так как и говорил он особенно, „по-танеевски“: кратко, метко, ярко. На устах у него были только нужные слова. Лишних, сорных слов этот человек никогда не произносил...

И смотрели мы все на него какого снизу вверх!.. Его советами, указаниями дорожили все. Дорожили потому, что верили. Верили же потому, что, верный себе, он и советы давал только хорошие. Представлялся он мне всегда той „правдой на земле“, которую когда-то отвергал пушкинский Сальери...

Жил Сергей Иванович простой, скромной, даже бедной жизнью, вполне его удовлетворявшей. Он, как Сократ, однажды увидевший собрание предметов роскоши, мог бы сказать: „Однако сколько есть вещей на свете, в которых я не нуждаюсь“.

К нему на квартиру, в его домик-особняк, стекались самые разнокалиберные, по своему значению несоединимые люди: от начинающего ученика до крупных мастеров всея России. И все чувствовали себя тут непринужденно, всем бывало весело, уютно, все были обласканы, все запасались от него какой-то бодростью, свежестью, и всем, сказал бы я, жилось и работалось после посещения «Танеевского домика» легче и лучше.

В своих отношениях к людям он был непогрешим, и я твердо уверен, что обиженных им не было, не могло быть и не осталось.

Танеев написал две кантаты, являющиеся его крайними сочинениями. Крайними — в буквальном смысле этого слова. Первоначальная кантата была его первым сочинением, вторая — последним. Первая написана «раннею весною», вторая — на закате. В первой кантате он пел «иду в незнаемый я путь», во второй встречаем слова: «не я ль светильник зажег». Мне хотелось бы заполнить промежуток этих крайних точек его творческой деятельности, связать эти вырванные фразы еще одной «кантатой» от себя и сказать, что по пути к «незнаемому» С[ергей] И[ванович] шел недолго: силами своего ума, сердца, таланта он скоро отыскал свою дорогу — широкую и прямую, — показавшую ему путь к той вершине, где засиял зажженный им светильник.

И светильник этот горел всю последующую жизнь его ровным, покойным светом, не merк, не терялся, освещал дорогу всем другим, в свою очередь вступавшим в неведомый им «незнаемый путь». И если светильник этот погас теперь, то только вместе с его жизнью»[1].

Смерть Скрябина, этого волшебно переливающегося всеми цветами радуги гения, в апреле 1915 года явилась

---

[1] Печатается по: *Рахманинов С.* Литературное наследие. Т. 1. М., 1978. С. 68–69.

самой большой потерей русского искусства в годы войны. Он скончался от заражения крови, промучившись всего три дня. Страшные трагедии, разыгрывавшиеся на поле брани, ослабили потрясение от этого печального события: никто до конца не осознал происшедшего. Звезда Скрябина поднималась стремительно. Жестоко погашенная его смертью, она больше никогда не заняла достойного себя места на русском музыкальном небосклоне, который вскоре должен был принять совершенно иной вид. Мы знаем, как насаждаемый прессой антагонизм и страстное разделение пылкой публики на поклонников Рахманинова и Скрябина вынужденно ставили Рахманинова в довольно трудное положение. Настоящая дружба между двумя этими разительно непохожими индивидуальностями, несмотря на их добрые намерения, была невозможна. Тем более характерным для Рахманинова стало стремление сделать все возможное, чтобы выказать свое уважение. После смерти Скрябина он посвятил многочисленные концерты памяти своего преждевременно ушедшего из жизни товарища[5].

Вот что рассказывает об этом сам Рахманинов:

«Я все еще нахожусь под глубоким и сильным впечатлением, которое произвели на меня похороны Скрябина. На похоронах собрался весь литературный, музыкальный и артистический цвет Москвы. Пришедшие заполнили не только маленькую церковь, расположенную напротив квартиры Скрябина, но и всю просторную площадь напротив нее. Архиепископ Московский прочитал красивую проповедь, восхваляющую божественную волю к свободе, которая привлекла всеобщее внимание. Синодальный хор пел с почти неземной красотой, поскольку Данилин прекрасно понимал, какой публике ему предстоит показать свое искусство: здесь собрались сливки московского музыкального мира. Так как церковь была недостаточно велика, чтобы вместить в себя весь хор, Данилин выбрал самые красивые голоса и лучших певцов. Кроме одного или двух современных произведений Кастальского и Чеснокова, исполнялась молитва к Господу из «Обихода», которая состоит всего лишь из ре-мажорного трезвучия и доминанты, но изумительное звучание этих девяти- и десятиголосных гармоний было так неописуемо красиво, что должно было убедить самого заядлого язычника и смягчить сердце самого жестокого грешника.

В этот момент я решил, что в течение следующей зимы совершу турне по крупным городам России и буду играть исключительно фортепианные сочинения Скрябина.

К моей большой радости, эти концерты прошли с громадным успехом, и залы всегда были переполнены. Правда, некоторые музыкальные критики Москвы, считавшие себя учениками Скрябина, придерживались другого мнения. Они публично поносили меня и заявляли, что моей игре недостает «святой посвященности», доступной для выражения лишь избранным, к которым я уж никак не принадлежал.

Этот круг друзей, окружавших Скрябина еще при жизни, состоял из людей, всегда отстаивающих точку зрения, что человек, не причастный к мистическим верованиям, не может исполнять его произведения. В своих газетах они или бранили меня, или наказывали презрением. Каково же было мое удивление, когда ровно через год после смерти Скрябина они прислали ко мне делегацию — ко мне, единственному из всех! — провозгласившую, что они создали Комитет для охраны памяти и наследия Скрябина и просят меня не только занять солидный пост в этом Комитете и организовать концерты для исполнения его музыки, но и принять в них участие в качестве пианиста или дирижера. Эта делегация состояла из нескольких светских дам и одного из музыкальных критиков, который особенно рьяно старался убедить своих читателей в тщетности моих попыток играть Скрябина и моей полной несостоятельности в сравнении с ним. Когда делегация закончила свою речь, облеченную в льстивые словеса, я выразил изумление по поводу того, что такое обращение исходит от людей, которые только что демонстрировали свое неудовольствие моей игрой и неверие в меня, и сказал, что я вынужден отвергнуть их предложение раз и навсегда. Что касается всего остального, то я сам буду решать, каким образом могу почтить память ушедшего композитора. Думаю, я доказал свою лояльность и страстное желание сделать это концертами, которые давал во множестве.

Странно, как смерть композитора меняет отношение к его произведениям. Помню такой, например, случай, о котором мне бы хотелось рассказать здесь; он очень поучителен. Когда талантливый русский композитор Василий Калинников, немногим старше меня, умер в раннем возрасте, достигнув всего лишь тридцати четырех лет, он не оставил ни копейки, потому что ему всегда мало платили. Его вдова, оказавшаяся в весьма стесненных обстоятельствах, попросила у меня небольшую сумму, чтобы поставить каменную плиту на его могиле. Она захватила с собой несколько оставшихся рукописей Калинникова и сказала:

— Бесполезно отдавать их издателю. Я знаю его цены.

Я взял сочинения и отнес их Юргенсону, надеясь, что он купит какое-нибудь из произведений.

Ни слова не говоря, Юргенсон сделал прибавку к ценам, которые я просил. Они составили внушительную сумму, в десять раз превышающую названную мне вдовой. Подойдя к своему сейфу и открыв его, Юргенсон заметил:

— Не думайте, что у меня нет оснований платить эту огромную сумму: я плачу ее, потому что смерть композитора вдесятеро увеличивает стоимость его произведений.

Но вернемся к Скрябину: на первом после его смерти Филармоническом концерте сезона я сыграл фа-диез-минорный Концерт Скрябина, дирижировал Зилоти[6]. Впервые после окончания консерватории я играл на концерте сочинение другого композитора. Факт знаменательный, он означал начало нового периода моей артистической карьеры, которая длится и по сей день».

Когда вскоре после этого к Рахманинову обратились с предложением выступить с грандиозным концертом, гарантировавшим солидную сумму в помощь больным и раненым, он решил сыграть за один вечер три концерта для фортепиано: ми-бемоль-мажорный Листа, си-бемоль-минорный Чайковского и свой собственный Второй концерт. Для того чтобы обеспечить требуемую выручку, решено было провести концерт в Большом театре[7]. На первой репетиции Рахманинов обнаружил, что его не устраивает звук фортепиано, идущий из оркестровой ямы. Чрезвычайно важно было добиться того, чтобы рояль звучал максимально хорошо и так, как ему хотелось. Рахманинов воспользовался для этого специальным помостом, который счастливо оправдал его ожидания. После концерта он подарил его Большому театру, где его применили один или два раза.

Бурная концертная деятельность в годы войны не оставляла времени на сочинение. Лето уходило на подготовку программы к зимнему сезону. Так как, за исключением отдельных произведений, Рахманинов по-прежнему играл только собственные сочинения, он решил расширить репертуар и создать новые произведения, чтобы обогатить свою программу. В тиши Тамбовской губернии, вдалеке от городского шума, где о войне можно было узнать только из газет и где, как обычно, Рахманинов проводил лето, он написал величественные, наполненные свежим воздухом «Этюды-картины» (ор. 39) и романсы (ор. 38), которые поразили всех новым характером. Московские концерты, где автор впервые исполнил эти произведения в России, стали последними.

В феврале 1917 года Россию постигла вторая катастрофа, оказавшаяся для нее более разрушительной, чем война, — разразилась революция. Все подданные этой огромной страны (отныне получившие статус «граждане») твердо верили, что революция означает начало новой и блестящей эры, и приветствовали революцию с неподдельным энтузиазмом.

В «первой бескровной революции», каковой ее провозгласили, Рахманинов тоже определенно видел радостное событие. Многие стороны жизни России вызывали критику со стороны здравомыслящих людей; революция предоставляла возможность осуществить социальные преобразования государства, остро нуждавшегося в реформах. Однако в ходе февральских событий, быстро последовавших одно за другим, стало нарастать чувство глубокого разочарования. Одним из первых Рахманинов понял неизбежность приближающейся гибели, а пассивность, вялость и слабость Временного правительства приводили его в отчаяние. Композитора одолевали мрачные предчувствия, касавшиеся не столько его самого, сколько любимой родины, которая шаг за шагом все глубже погружалась в пучину несчастий. Казалось, что из этой ситуации, становившейся все более непереносимой, нет выхода.

Сам Рахманинов описывает этот период следующим образом:

«Почти с самого начала революции я понял, что она пошла по неправильному пути. Уже в марте 1917 года я решил покинуть Россию, но мой план было невозможно осуществить, потому что Европа все еще находилась в состоянии войны и границы были закрыты. Я уехал в деревню и поселился в Ивановке. Этому лету суждено было стать моим последним летом в России. Впечатления, которые складывались у меня от общения с крестьянами, чувствовавшими себя теперь хозяевами положения были неприятными. Я бы предпочел оставить Россию с более дружескими воспоминаниями.

Большевистский переворот застал меня в старой московской квартире. Я начал переделывать свой Первый фортепианный концерт, который собирался снова играть, погрузился в работу и не замечал, что творится вокруг. В результате жизнь во время анархистского переворота, несущего гибель всем людям непролетарского происхождения, оказалась для меня сравнительно легкой. Я просиживал дни напролет за письменным столом или за роялем, не обращая внимания на грохот выстрелов из пистолетов и винтовок[8]. Любого незваного гостя я встретил бы словами Архимеда, которые он воскликнул во время завоевания Сиракуз. По вечерам, однако, мне напоминали о моих обязанностях «гражданина», и по очереди с другими квартирантами я должен был нести добросовестную охрану дома, а также принимать участие в собраниях домового комитета, организованного немедленно после большевистского мятежа. Вместе с прислугой и другими представителями этого сословия я обсуждал важность нашей деятельности и другие вопросы. Можете поверить, что эти воспоминания можно назвать какими угодно, только не приятными. Многие оптимисты смотрели на захват большевиками власти как на неприятный, но короткий антракт в «Великой революции» и надеялись, что новый день принесет им обещанные небеса на земле. Я не принадлежал к тем, кто слеп к действительности и снисходителен к смутным утопическим иллюзиям. Как только я ближе столкнулся с теми людьми, которые взяли в свои руки судьбу нашего народа и всей нашей страны, я с ужасающей ясностью увидел, что это начало конца — конца, который наполнит действительность ужасами. Анархия, царившая вокруг, безжалостное выкорчевывание всех основ искусства, бессмысленное уничтожение всех возможностей его восстановления не оставляли надежды на нормальную жизнь в России. Напрасно я пытался найти для себя и своей семьи лазейку в этом «шабаше ведьм».

Нам на помощь пришел совершенно неожиданный случай, который я могу отнести только к проявлению воли провидения, — во всяком случае, эго был счастливый знак расположения судьбы. Три или четыре дня спустя после того, как в Москве началась стрельба, я получил телеграмму с предложением совершить турне по Скандинавии с десятью концертами. Денежная сторона этого предложения была более чем скромная — в былые времена я бы даже не принял его во внимание. Но теперь я без колебаний ответил, что условия меня устраивают и я их принимаю[9]. Это произошло в ноябре 1917 года. У меня были трудности в получении от большевиков визы, но они вскоре выдали мне ее, так как поначалу новые хозяева страны демонстрировали большое уважение к артистам. Позднее до меня доходили слухи, что я оказался последним человеком, выехавшим из России «легальным» способом. Тот факт, что я просил визы для всей моей семьи, не привлек к себе особого внимания. Обычай «заложников», согласно которому семья уехавшего, если он не пожелает возвратиться, высылалась на Крайний Север или подвергалась казни, в то время еще не был установлен. В один из последних ноябрьских дней я взял маленький чемодан и сел на трамвай, который через темные улицы привез меня к Николаевскому вокзалу. Шел дождь... я услышал несколько одиноко прозвучавших в темноте выстрелов. Жуткая, гнетущая атмосфера, царившая в городе, казавшемся в тот час совершенно пустым, страшно подавляла меня. Я отдавал себе отчет в том, что покидаю Москву, мой истинный дом, на долгое-долгое время... может быть, навсегда.

Я отправился в Санкт-Петербург один, чтобы сделать некоторые необходимые приготовления для нашей поездки. Жена с двумя дочерьми приехала позже, и мы вместе сели в поезд, доставивший нас через Финляндию к шведской границе. Тиски большевистской власти я почувствовал в одном: мне разрешили взять с собой только самое необходимое и не более пятидесяти рублей на каждого члена семьи. Этого, конечно, было недостаточно, но я выполнил все правила самым скрупулезным образом из страха, как бы все наше путешествие не провалилось. На границе никто даже не взглянул на мой бумажник, так что я легко мог забрать с собой все деньги. Но в тот момент, по сравнению с нашим спасением, деньги не имели никакого значения.

Один вопрос очень тревожил меня: уменьшится ли еще та маленькая сумма, которая у меня была, при обмене? В те дни слово «обмен» приобрело странное значение, понятное лишь тем, кто сталкивался с этим процессом сам. Помню, как однажды, еще в Москве, я уходил от друга, в высшей степени озабоченного вопросами обмена. В дверях я столкнулся со знакомым — профессором Московского университета — и поделился с ним своими опасениями.

— Но дорогой мой! — воскликнул он. — Вам совершенно не следует беспокоиться. Смотрите — вот ваш обмен, — и он показал на мои руки.

Помимо денежного состояния, поместья и квартиры Рахманинов оставил большевикам куда более ценное имущество: все рукописи, опубликованные и неопубликованные. Революционные «хищники» управились с этим неожиданным наследством, по меньшей мере, с некоторой бережностью. Мы еще вернемся к этому.

Накануне Рождества 1917 года Рахманинов вместе с семьей пересек финскую границу. Поездка в переполненном вагоне казалась нескончаемым кошмаром. Объятые паникой соседи-пассажиры боялись, что в любой момент их могут арестовать и отправить назад в Петербург. Такое бывало, и уже не раз. Но их страхи оказались безосновательными, и большевики обошлись с ними на границе «очень любезно», как выразился композитор. В последний раз его имя, проставленное в паспорте, проявило свою волшебную силу и России. Когда поезд останавливался у пограничной линии, пассажирам следовало пересесть в розвальни. На них и погрузился Рахманинов вместе со своей отважной женой, двумя маленькими дочерьми и скудным багажом. Сквозь густую метель с трудом можно было различить очертания окружающего пейзажа.

Когда, измученный горестями и разочарованием, с Россией окончательно расставался Михаил Глинка, он остановил свой возок на границе и плюнул. Рахманинов, несмотря на жестокость и безжалостность большевистской власти, предпочел в подобных обстоятельствах опуститься на колени и поцеловать землю Родины, дороже которой ничего в его жизни так и не было.

Наши путешественники прибыли в Стокгольм в канун Рождества. Шведы понятия не имели ни о революции, ни о войне. Северная столица от души, беззаботно праздновала Рождество: все гостиницы, рестораны и общественные здания полнились смехом и счастливыми голосами... Легко вообразить себе, как это бывает. Но Рахманинов с женой заперлись в своей гостиничной спальне, им хотелось плакать.

Рахманинов играл во всех крупных городах Швеции, и хотя его выступления повсюду пользовались огромным успехом, он начал понимать одно: если в будущем он ограничится исполнением исключительно своих собственных произведений, то вскоре неизбежно выдохнется. Эти соображения привели его к незамедлительному принятию решения стать профессиональным пианистом. Для достижения этой цели он должен был много заниматься и нуждался во времени и покое, чтобы подготовиться к будущему сезону, тем более что к этому времени он получил уже много предложений. Рахманинов решил поселиться в Копенгагене. В этом выборе, помимо других обстоятельств, немаловажную роль сыграл и тот факт, что в Копенгагене жил Струве. Из-за русского подданства он был вынужден покинуть Берлин, где обосновался и взял на себя издательское дело; теперь он перешел к изданию произведений русских композиторов в Копенгагене, столице нейтрального государства. Но задумать присоединиться к нему в Копенгагене оказалось для Рахманинова легче, чем осуществить этот план.

Наконец наступил момент, когда Рахманинов оказался в состоянии приобрести небольшой домик в дальнем пригороде — главной особенностью нового жилища было неисправное отопление. Долгое время спустя Рахманинов вспоминал об этом, так как его данной обязанностью по дому стало обеспечивать тепло. Госпожа Рахманинова готовила и убирала, а дочери добирались до города на велосипеде.

Концертный сезон 1918/1919 года оказался для Рахманинова очень щедрым. Он принимал все предложения, поступавшие к нему из скандинавских стран, но сумел заключить лишь небольшое количество контрактов. Только за октябрь Рахманинов дал пятнадцать концертов, но у него появилась основательная причина, чтобы отказаться от других ангажементов.

Прошлым летом Рахманинов уже получил от концертных импресарио из Вольфсон-бюро предложение дирижировать симфоническим оркестром в Цинциннати, но отклонил его, так как был не удовлетворен условиями. Немного дольше он колебался, прежде чем отвергнуть другое предложение, поступившее к нему в октябре из Бостона: комитет Бостонского симфонического оркестра пригласил его возглавить прославленный оркестр, работая с которым, достиг таких огромных успехов глубоко почитаемый Рахманиновым Никиш. Вплоть до октября этого года оркестром руководил доктор Карл Мук. Но, как уже упоминалось выше, Рахманинов отклонил и это предложение, хотя с материальной стороны предлагаемые условия казались на тот момент более чем приемлемыми.

Два предложения, последовавшие из Америки, заставили Рахманинова решиться пересечь Атлантический океан. Он понимал, что, безусловно, сможет оказаться полезным Америке в том или ином качестве. В Европе, которая все еще страдала от последствий войны, его передвижения ограничивались границами нейтральных стран.

Рахманинов не мог получить визу даже в Америку, но американский консул в Копенгагене — один из самых благожелательных, сочувствующих и мыслящих представителей своего ведомства, — будучи уверенным в политической благонадежности Рахманинова, выдал ему визу.

Незадолго до отъезда Рахманинов получил вторую телеграмму из Бостона, подтверждавшую приглашение и содержавшую сообщение о более щедром денежном вознаграждении.

1 ноября вся семья Рахманиновых погрузилась на маленький норвежский пароход в Осло и покинула Европу. Путешествие было отнюдь не безопасным, поскольку в океане пряталось гораздо больше мин, чем хотелось бы

капитану, особенно на пути в Нью-Йорк. К счастью, пароходу удалось избежать их, равно как и других военных опасностей. Судно встретилось с британской военной эскадрой, но англичане не причинили ему никакого вреда.

Рахманинов не знал, что уготовила ему судьба по ту сторону океана. В конце концов, он плыл в «страну неограниченных возможностей» исключительно на свой страх и риск. Еще на борту корабля он отклонил второе предложение из Бостона. Согласно этому предложению он был бы по рукам и ногам связан обязательством дать сто десять концертов, а в то время Рахманинов даже представить не мог, что способен его выполнить. Тогда он еще не знал, каких подвигов в чисто физическом смысле требует от артиста Америка! Но он был уверен, что не погибнет там, даже за пределами Бостона, и что карьера пианиста станет для него более легкой.

Глава одиннадцатая
АМЕРИКА
1919

Приезд в Нью-Йорк 10 ноября 1918 года. — День примирения. — Менеджеры Эллис и Фоли. — «Стейнвей и сыновья». — Особенности музыкального развития американской публики. — Рекламная практика в Америке. — Филадельфийский симфонический оркестр и Леопольд Стоковский. — В Европе спустя почти десять лет. — Четвертый фортепианный концерт. — Россия бойкотирует рахманиновские произведения. — Композитор о себе. — Заключение.

10 ноября 1918 года маленький норвежский пароход[1] с семьей Рахманиновых на борту прибыл в Хобокен. 11 ноября был День заключения мира. Стоило путешественникам выйти куда-нибудь или выглянуть из окна гостиницы на улицу, как их взору представлялась странная картина: складывалось впечатление, будто вместо цивилизованной страны они попали в сумасшедший дом. В романе «Нефть» Эптон Синклер очень живо описывает эти сцены:

«С тех пор как появился белый свет, мир еще такого не видывал: все, что могло издавать шум, было пущено в ход. Мужчины, женщины и дети высыпали на улицу и танцевали, пели и вопили до полного изнеможения. Раздавались холостые выстрелы, машины мчались с гроздьями привязанных к ним дребезжащих жестянок, разносчики газет и биржевые маклеры орали, взгромоздившись друг другу на плечи, а солидные, неприступные банковские президенты танцевали канкан с машинистками и телефонистками».

Но и помимо шумных празднеств по поводу Дня примирения[2] все в Новом Свете озадачивало и было непривычным. К счастью, немногочисленные и преданные друзья — русские и американские — не оставляли своими заботами вновь прибывших. С первых же дней жизни Рахманинова в Соединенных Штатах друзья делали все от них зависящее, чтобы сгладить остроту первых впечатлений. Это были главным образом артисты, среди них бывший кумир русской публики Иосиф Гофман с женой, русские скрипачи Ефрем Цимбалист и Миша Эльман, господин и госпожа Фриц Крейслер и другие. Экстренная помощь оказалась как нельзя более необходимой сразу же по приезде, поскольку вскоре все члены семьи Рахманинова, кроме жены композитора, стали жертвами суровой эпидемии инфлюэнцы, как она тогда называлась — «испанки», причем в очень тяжелой форме. Верные друзья приложили все силы, чтобы призвать на помощь хороших врачей, обеспечить полноценное питание, — и, к счастью, их усилия увенчались успехом. Болезнь удалось преодолеть без сколько-нибудь серьезных осложнений, которых опасались более всего в отношении самого Рахманинова.

Предполагая, что в Америке он «так или иначе» обеспечит семью, Рахманинов оказался прав. Как только стало известно о его прибытии в страну, у него не было отбоя от предложений импресарио. Главное исходило от одного из самых знаменитых американских менеджеров — Чарлза Эллиса, который до сей поры предлагал свои услуги только трем музыкантам: Падеревскому, Крейслеру и Джеральдине Феррар. Поскольку Падеревский сменил место у рояля на президентское кресло только что созданной Польской Республики, Эллис, если можно так выразиться, получил в свое распоряжение вакансию, которую и предложил Рахманинову. Рахманинов с охотой согласился и никогда не жалел об этом. В течение первых лет «временного пребывания» Рахманинова в Америке он работал с Эллисом. С самого начала и по сей день истинным и преданным другом Рахманинова оставался в те годы помощник менеджера С. Дж. Фоли, придерживавшийся в сотрудничестве с Рахманиновым тех же принципов. Кроме них, уже на начальном этапе американской жизни огромную моральную и творческую поддержку оказала Рахманинову фирма «Стейнвей и сыновья». Они мгновенно поняли значительность фигуры русского артиста как пианиста, и с тех пор его имя стало постоянно и неразрывно связано с фирмой «Стейнвей»[3].

Такие идеальные для самой активной артистической деятельности условия были созданы Рахманинову в Америке сразу по его прибытии. «Но, — спрашивал себя Рахманинов, — как отнесется ко мне публика?»

Девять лет миновали после его первого концертного турне по Соединенным Штатам. Девять лет — очень долгий срок для бешеного темпа американской жизни. Возможно, американцы забыли бы о существовании Рахманинова, если бы не его Прелюдия. Она по-прежнему звучала во всех концертных залах, кафе, на приемах, во время занятий на фортепиано одиноких стареющих дам и не давала забыть о своем авторе. Отчасти поэтому первые же анонсы сольных концертов Рахманинова показали, что все помнят его, и публика оказала ему самый горячий прием.

Невероятный успех Рахманинова в Соединенных Штатах можно объяснять по-разному. Одна или две причины очевидны.

Прежде всего это пианистическое совершенство Рахманинова. Сейчас оно достигло кульминации. Кроме того, американская публика сразу почувствовала в нем мощь творческой индивидуальности, сказывавшуюся в манере игры и оказывавшую сильное магнетическое воздействие. Наконец, американцам нравились его программы, выбор произведений. Рахманинов понимал необходимость следовать законам, освященным величайшими именами пианистического мира и требовавшим подчинения музыкальным вкусам, которые оставались неизменными в течение десятилетий. Он играл музыку, пользовавшуюся спросом, и, к счастью, желания посетителей концертов совпадали с его собственными. В большинстве случаев публика стремилась услышать то, что ему хотелось играть, — шедевры классической музыки[4].

Noblesse oblige...[1] К счастью, этот девиз все еще так же безусловен в искусстве, как и в других сферах жизни. Он вынуждал Рахманинова выбирать только шедевры фортепианного репертуара. Рахманинов составлял свои программы из сочинений, почти без исключения написанных в прошлом. Большой художник, который хочет показать свое искусство посредством исполнительства, вынужден выбирать произведения, которые дают ему возможность представить «величие в великом исполнении». Полное осознание этого факта вернуло Рахманинова назад, к золотому веку музыкальной литературы. Он почти не поль-

---

[1] Положение обязывает (*франц.*).

зовался возможностями свернуть на боковые тропинки, которые могли бы приблизить его к настоящему. Какие же именно произведения принесли Рахманинову колоссальный успех? «Аппассионата» Бетховена, Соната си-бемоль минор Шопена, «Карнавал» Шумана, си-минорная Соната Листа и — Шопен, Шопен и снова Шопен. В течение одиннадцати лет пианистической деятельности Рахманинова в Соединенных Штатах его опыт все время говорил об одном и том же. Желание большинства нельзя игнорировать безнаказанно, и любовь публики, конечно, является достаточным доказательством его правоты. Понемногу он «заработал» возможность исполнять музыку Николая Метнера, которого считал одним из лучших современных композиторов.

Подводя итоги долгой концертной деятельности в Соединенных Штатах, Рахманинов так рассказывает об этом:

«В течение одиннадцати лет концертирования в Америке, отделенных от моего первого визита десятилетним перерывом, я имел вполне основательную возможность убедиться в огромном прогрессе, который сделала американская публика, в силе музыкального проникновения и в музыкальных вкусах. Художественная требовательность выросла до неузнаваемости. Артист, предоставляющий право судить об его искусстве публике, замечает это немедленно. То, что я говорю, — отнюдь не только мое мнение, его разделяют многие артисты, которые давали концерты в Соединенных Штагах и с которыми мы обсуждали этот вопрос. Можно заключить, что те огромные усилим, которые предпринимало американское, и в особенности нью-йоркское, общество, чтобы поднять уровень музыкальной культуры, не пропали даром. Они использовали все средства, находившиеся в их распоряжении, и не жалели денег в своем стремлении превзойти Европу, Они добились своего. Никто не станет оспаривать этот факт».

В бесчисленные сольные концерты Рахманинова в Америке желанное разнообразие всегда вносили и вносят симфонические концерты, в которых он принимал участие во встречавшихся по дороге больших городах. Рахманинов не раз высказывал мнение, что американские оркестры (которые, по правде говоря, в основном состоят из европейских музыкантов) несравненны по качеству. Для его тончайшего слуха звучание оркестров Нью-Йорка, Бостона и Филадельфии было настоящим наслаждением. С особым удовольствием он работает со Стоковским: подобно самому композитору в бытность его дирижером Большого театра в Москве, Стоковский, ярый приверженец строжайшей дисциплины в оркестре, своей тщательной манерой аккомпанировать полностью удовлетворяет совершенно особое, совестливое отношение к работе Рахманинова. Это приводит к поразительному единодушию, гибкости и взаимоотдаче во время их совместного исполнения. Все, кто слышал граммофонные записи Второго концерта Рахманинова для фортепиано с оркестром в исполнении автора и Филадельфийского симфонического оркестра, согласятся с этим утверждением.

Композитор продемонстрировал также великолепное и технически совершенное исполнение своей симфонической поэмы «Остров мертвых» с замечательным оркестром Стоковского. К счастью, эго исполнение также оказалось записанным фирмой грамзаписи.

Что касается частной жизни Рахманинова в Америке в течение последних двенадцати лет, то мы можем позволить себе коснуться лишь самых необходимых деталей, поскольку это слишком близко к настоящему моменту и слишком интимно связано с людьми, окружающими Рахманинова.

После того как благодаря большому успеху, сопутствовавшему Рахманинову и Америке с первых шагов, его материальные дела пошли на поправку; первым делом, предпринятым композитором, стало вызволение из России ближайших родственников жены. Ведь именно их дом он ощущал как свой собственный с первых дней юности, проведенной в Москве. Ему удалось достичь успеха в своем предприятии, преодолев многочисленные препятствия. Осенью 1921 года семья Сатиных смогла покинуть Россию. Они поселились в Дрездене — городе, к которому Рахманинов по сей день испытывает чувство нежности и который посещает с довольствием.

В первые годы жизни в Соединенных Штатах Рахманинов проводил лето вдали от суеты и шума больших городов, на ферме или в загородном доме. Оторванность от цивилизации напоминала ему бескрайние пустынные российские равнины.

Вскоре, однако, он начал тосковать по континенту, сильно отличающемуся своей атмосферой от Нового Света. Когда дочери обосновались в Париже, он уже не мог оставаться в Соединенных Штатах и на лето уезжал оттуда. Стоило начать цвести лугам и деревьям, как его неудержимо влекло на благословенные равнины *Belle France*[1].

---

[1] Прекрасная Франция (*франц.*).

Там он проводил каждое лето, чаще всего под Парижем, в старинной сельской местности, которую мы уже описывали в предисловии. Поэтическая обстановка запущенного старого парка, огороженного высокими стенами, мирная тишина прудов, заросших лилиями, наведенные над водой ветхие мостики, вид обширных, выжженных солнцем лугов, укутанных спускающимся туманом, — все это приближало его к утерянному раю старой русской помещичьей усадьбы сильнее, чем прозаическая упорядоченность американской фермы.

Но лишь в 1931 году Рахманинов купил себе небольшое владение на озере Люцерн в Швейцарии[5]. Новый дом тоже — поскольку это первое и необходимое условие для счастья — находится максимально далеко от дороги, гудящей бесконечным потоком мчащихся по ней машин с туристами. Рахманинов устроился здесь согласно своему вкусу: мы надеемся, что, окруженный немыслимой красотой гор, он, быть может, снова встретится со своей музой и она одарит его творческим вдохновением, которого ему так долго недоставало.

Последнее выступление Рахманинова в Европе, в Скандинавии, состоялось в 1918 году, а предыдущий концерт в Европе[6] — даже еще раньше, приблизительно в дрезденский период. После долгого отсутствия[7] он в 1928 году снова появился в концертных залах Европы, и где бы ни играл Рахманинов — в Берлине, Мюнхене, Вене, Париже, Лондоне, Праге или Будапеште, — его повсюду встречал все тот же безграничный энтузиазм публики. Мощь его индивидуальности, абсолютная честность и искренность игры заставляют публику, независимо от национальной принадлежности, всецело отдаваться чарам его обаяния.

Огромный успех европейских турне Рахманинова стал причиной того, что он — или его менеджер — в 1929 году временно сократил число концертов по другую сторону океана. Теперь план концертных турне Рахманинова выглядит приблизительно так: в течение первой половины сезона — с октября по декабрь — он играет в Европе: во второй половине — с января по апрель — в городах Северной Америки. Очередность может быть и обратной, но это не сказывается ни на основном принципе концертного плана, ни на количестве концертов в Новом и Старом Свете.

Неустанная концертная деятельность Рахманинова в залах всего мира, к которой прибавилась еще гораздо более напряженная работа с звукозаписывающими фирмами, требующая максимальной концентрации, поглотила все его время[8]. Достойно всяческого сожаления, что Рахманинов оказался вынужденным пренебречь той стороной своей творческой индивидуальности, которая неизмеримо важнее для его посмертной славы, — я имею в виду сочинение. В первые годы жизни в Америке Рахманинов не написал ни одной ноты. Наверное, он страдал от этого так же сильно, как бесчисленные почитатели его творческой музы. Бешеный темп работы, который требовали от него американские концертные менеджеры, не оставлял ни минуты для передышки и того покоя, который требуется для сочинения музыки.

Когда после успешных концертов в Америке он впервые вернулся и Дрезден, его со всех сторон бомбардировали вопросами: какие новые сочинения он написал в Америке? Сколько? Рахманинов молчал. Вопросы становились все более настоятельными.

— Неужели возможно, чтобы за все это время вы не написали ни одной ноты?

— Почему же, — горькая усмешка промелькнула на губах композитора, — я написал каденцию ко второй Рапсодии Листа.

Печальнее ответа не придумаешь, но он близок к правде. Хотя в первые годы жизни в Америке Рахманинов действительно не мог найти достаточно много времени для сочинения, мы должны поблагодарить его за некоторые транскрипции, которые принадлежат теперь к величайшим сокровищам фортепианной литературы. Это Менуэт из сюиты Бизе «Арлезианка», вальсы «Радость любви» и «Муки любви» Крейслера, песня Шуберта и, не так давно, Прелюдия, Гавот и Жига из скрипичной Партиты ми минор Баха, а также Скерцо из музыки Мендельсона к комедии Шекспира «Сон в летнюю ночь».

Два вальса — это, быть может, единственные произведения, которые могут встать в один ряд с такими великими примерами, как «Венские вечера» Листа и вальсы Штрауса — Таузига.

И только в два последних года в Америке созидающая муза Рахманинова вновь пробудилась для самостоятельной и блестящей творческой работы. Он написал Четвертый фортепианный концерт до минор (ор. 40) и произведение для хора и оркестра — «Три русские народные песни» (ор. 41), где хор (альты и басы) поет в унисон нерифмованные строфы, а оркестр живо и юмористически иллюстрирует содержание текста. Тексты и мелодии этих песен, которые были совершенно неизвестны за пределами родных мест (в основном самых отдаленных уголков России), Рахманинову подсказали в Нью-Йорке исполнительница русских народных песен Надежда Плевицкая, с успехом концертировавшая в Нью-Йорке, и Федор Шаляпин, выкопавший их из неисчерпаемой сокровищницы своей памяти[9]. Первое исполнение их в Америке состоялось в Филадельфии[10] под руководством Стоковского. В Европе Рахманинов впервые сыграл свой Четвертый фортепианный концерт в Берлине[11] в Филармоническом концертном зале в сопровождении оркестра под управлением Бруно Вальтера 8 декабря 1931 года. «Русские народные песни» прозвучали в Европе лишь в 1933 году.

Летом 1932 года Рахманинов обогатил мировую фортепианную литературу новым выдающимся сочинением — «Вариациями на тему Корелли» (ор. 42), которые композитор представил публике сам на одном из сольных концертов в Нью-Йорке в сезоне 1931/32 годов[12]. Летом он полностью переделал свою Вторую сонату дли фортепиано, которая в оригинальном варианте отличалась значительно большей строгостью и теперь зазвучала совсем по-иному. В возрожденном виде она скоро, надеюсь, займет подобающее ей место в программах всех достойных пианистов.

Нет сомнений в том, что положение Рахманинова в послевоенные годы изменилось: это уже не чисто национальная знаменитость русского музыкального мира, его имя приобрело всемирную известность. Новый и Старый Свет одинаково отдают должное расцвету великого русского музыканта с почтением, редко встречающимся на обоих полушариях земного шара. Нет страны, где бы со счастливым воодушевлением и от глубины души не платили Рахманинову дань искреннего восхищения.

Интересно сравнить с этим отношение родной страны к всемирному успеху музыканта, который, невзирая на любовь Америки и Европы, по-прежнему привязан всем сердцем к широкой равнине между Вислой и Волгой. Последнее событие повергло меня в величайшее изумление. Я не стану утомлять читателя пересказом ситуации, но удовольствуюсь несколькими цитатами из современной русской критики; они стоят больше, чем сотни страниц добросовестных описаний, и говорят сами за себя.

Один из документов — это статья, опубликованная в официальной московской газете «Правда» в марте 1931 года[13]. Вот она:

О ЧЕМ ГОВОРЯТ КОЛОКОЛА

Кто мог представить себе, что сегодня в Москве, в одном из основных залов, могла бы собраться тысячная аудитория, чтобы слушать концерт Лоссова или мистические сочинения Бальмонта, Гиппиус или Мережковского! Такая мысль кажется совершенно нелепой. Между тем, несмотря на это, нечто подобное — нет, еще гораздо более бесстыдное — недавно имело место в Москве.

В течение двух дней подряд Большой зал бывшей Консерватории был битком набит странной аудиторией, состоявшей из „бывших".

На сцене симфонический оркестр, хор и „хорошо известные" солисты. Атмосфера беспокойная. Исполняются „Колокола". Это не просто симфония — это целая „мистерия бренчащих колоколов". Сначала вы слышите маленькие колокола, потом обычные церковные, а затем ритуальные свадебные колокола, которые переходят в мрачную и мистическую ораторию.

На этом фоне звучат следующие слова:

О набат, набат, набат.
Если б ты вернул назад
Этот ужас, это пламя, эту искру, этот взгляд.
Этот первый взгляд огня,
О котором ты вещаешь с плачем, с воплем и звеня!

И наконец, уже в конце, в сопровождении церковного гимна, звонит тяжелый гнетущий похоронный колокол:

С колокольни кто-то крикнул, кто-то громко говорит.
Кто-то черный там стоит,
И хохочет, и гремит.
И гудит, гудит, гудит,
К колокольне припадает,
Гулкий колокол качает.
Гулкий колокол рыдает,
Стонет в воздухе немом
И протяжно возвещает о покое гробовом.

Лица слушателей выражают восторг и энтузиазм. Гремят нескончаемые овации.

Кто же осуществил исполнение этой благочестивой литургии в столице Советской России? Посреди бела дня? Может быть, некое „частное лицо“ вторглось на сцену Большого зала Консерватории?

Нет. Концерт был организован Академическим Большим театром под руководством правительства.

Кто автор этого произведения? Сергей Рахманинов, бывший певец русских купцов-оптовиков и буржуев, композитор, который давным-давно устарел, чья музыка есть не что иное, как жалкое подражательство и выражение реакционных настроений; бывший помещик, который еще в 1918 году с отвращением покинул Россию после того, как крестьяне отобрали у него землю, — непримиримый и активный враг Советского правительства.

Что же касается автора текста (по мотивам Эдгара Аллана По), то это полоумный упаднический мистик Бальмонт, который уже давно сам отождествляет себя с „белой“ эмиграцией.

Не так давно тот же самый Сергей Рахманинов вместе с Ильей Толстым опубликовал в газете „Нью-Йорк таймс“ официальное письмо (от 1 января 1931 года) по случаю приближающегося визита в СССР Рабиндраната Тагора, отличающееся беспрецедентным бесстыдством, в котором два этих „солдата белой гвардии“ разражаются стенаниями по поводу пыток, применяемых ОГПУ, и „рабства“ в этой стране, называют Советское правительство правительством убийц, преступников и профессиональных палачей.

Из всех произведений Рахманинова сегодня выбрали самое реакционное, которое более всех остальных проникнуто духом религиозного мистицизма, — „Колокола“! Совпадение?

Кто вдохновил театр на это восторженное православное действо? Именно в „Колоколах“ чисто музыкальные вопросы перемешаны с политикой самым коварным образом. Представляет ли себе театр, что во время великой индустриализации эти „Колокола“ могут быть сочтены произведением, которое символизирует тайные стремления и надежды „белой“ интервенции? Известно, что пагубно мыслящий Чаянов в своей книге «Путешествие моего брата Алексея в страну крестьянской утопии» выказывает особое удовольствие от звона рахманиновских „Колоколов"? Он мечтает о возрождении России от тиранов к мелодиям этой музыки».

Именно поэтому в своей статье «Мечты Чаяновых и советская действительность» («Правда», № 288) Ярославский написал:

«Вот о каких „развлечениях" мечтает Чаянов через 60 лет: „Плотные толпы народа заливали собой площади и парки, сады, расположенные на берегу Москвы-реки... Празднуя окончание жатвы, общество Александра Смагина приглашает крестьян Московской области послушать следующую программу; исполняемую на кремлевских колоколах в сотрудничестве с колоколами других московских церквей. Программа: 1. Звоны Ростовские XVI века. 2. Литургия Рахманинова. 3. Звон Акимовский (1731 г.)... Стихии ростовских звонов, окончив свой крут, постепенно вознеслась куда-то к облакам, а кремлевские колокола начали строгие гаммы рахманиновской литургии".

Вы подавлены, читатель, величием этой „культурной" программы? Воистину: за что боролись!!

...Чаяновым не дождаться времени, когда народные массы будут слушать концерты на колоколах рахманиновской литургии...»[1]

Последствием этой статьи и события, вызвавшего ее появление, стал — с трудом в это верится — полный запрет исполнения в Советской России всех произведений Рахма-

---

[1] Цит. по: «Правда», 18 октября 1930 г.

нинова и предание композитора анафеме со стороны всех музыкальных авторитетов большевиков.

Согласно парижской газете *«Derniè res nouvelles»* от 21 марта 1931 года, Санкт-Петербургская консерватория вынесла следующую резолюцию: «Руководство Ленинградской консерватории полностью солидарно с выдвинутым Москвой предложением бойкотировать произведения Рахманинова, провозглашающие упаднические идеи буржуазии и являющиеся особенно вредными в настоящий момент, когда классовая борьба на музыкальном фронте обострилась до крайней степени.

Руководство также обращает внимание на тот факт, что одна или две группы музыкальных специалистов высоко оценивают произведения Рахманинова под предлогом совершенства их формы, иными словами, они под прикрытием музыки ведут классовую борьбу.

Руководство вынуждено бескомпромиссно запретить всякое преподавание произведений Рахманинова в высших музыкальных учебных заведениях».

Так как Санкт-Петербург и Москва подали пример такой музыкально-политической оценки, даже Украине — этому в других отношениях довольно независимому привеску к России — ничего не оставалось, кроме как последовать их примеру. «Харьковские новости», официальная украинская газета, поместили объявление о решении, принятом Объединением украинских высших музыкальных учебных заведений, где среди прочего значится следующее:

«Автор произведений, которые по их эмоциональному и духовному воздействию являются насквозь буржуазными, автор „Литургии“, „Всенощной“ и „Колоколов“, изготовитель фокстротов [???] Рахманинов был и есть прислужник и орудие в руках злейших врагов пролетариата: мировой буржуазии и мирового капитализма.

Мы призываем украинскую пролетарскую молодежь и все правительственные учреждения к бойкоту произведений Рахманинова.

Долой Рахманинова! Долой преклонение перед Рахманиновым!»

Текст сопровождался четырьмя подписями членов вышеупомянутого «руководства».

Бесполезно комментировать бессмысленные, детские (но оттого ничуть не менее опасные) выражения этой музыкально-политической глупости и тупости.

Тем не менее одно предложение из первой статьи заслуживает внимания: «Гремят нескончаемые овации»... Если задаться целью сделать объективное заключение!..

Но у меня нет ни малейших намерений давать политические заключения, которые в любой момент могут быть фальсифицированы.

В десятой главе мы сравнивали совершенно разные чувства, с которыми покидали свое отечество Глинка и Рахманинов. Если бы Рахманинову пришлось когда-нибудь снова оставить родину, его легко простили бы, вздумай он последовать примеру Глинки[13].

Мы видим отношение к Рахманинову Старого и Нового Света — Европы и Америки: они признают в нем одного из величайших музыкальных мастеров современности. Также мы знаем, как смотрит на него бедная, обманутая, поверженная в рабство Россия — или как ее заставляют смотреть: она наложила политический запрет на произведения, созданные исключительно во славу музыкального искусства и ничего общего с политикой не имеющие. Но существует еще один критик, чью точку зрения мы с удовольствием бы услышали. Как сам Рахманинов с обычной неподкупной честностью рассматривает свое место и свои достижения в музыкальном искусстве?

Что касается его положения в целом, он, конечно, в высшей степени сдержан, но в заключение нашей беседы в парке «Павильон» близ Клерфонтена он осветил один из аспектов своей карьеры:

«Не знаю, удалось ли мне разрешить постоянный конфликт, который мучает мою душу. Конфликт между моей музыкальной деятельностью и артистической совестью — страстное стремление заняться чем-то другим, а не тем, чем я занимаюсь в данный момент.

Я никогда не мог разобраться, в чем же состоит мое истинное призвание, кто я — композитор, пианист или дирижер. Эти сомнения преследуют меня и по сей день. Временами мне кажется, что я прежде всего композитор; иногда думаю, что способен только к игре на фортепиано. Теперь, когда большая часть моей жизни уже позади, я постоянно терзаюсь подозрениями, что, выступая на многих поприщах, может быть, прожил жизнь не лучшим образом. Согласно русской пословице, я «погнался за тремя зайцами». Могу ли я быть уверен, что убил хоть одного из них?»

Не перед одним лишь Рахманиновым вставала эта дилемма. Подобные сомнения обуревали многих великих людей, наделенных несколькими талантами. В качестве иллюстрации к проблеме и ради дополнения картины я бы хотел закончить цитатой из испанского философа Ортеги-и-Гассета:

«Величие определяется требованиями, которые человек предъявляет к себе сам, — сознанием ответственности, а не привилегиями...

На мой взгляд, величие обозначает такое качество в человеке, которое заставляет его выбирать жизнь, полную напряжения, постоянной борьбы за более высокие достижения; с каждым успехом он поднимается ко все более высоким идеалам и подвластен лишь собственным побуждениям и своем совести».

Тем, кто знает Рахманинова, эти слова раскроют секрет его натуры.

Глава двенадцатая
РАХМАНИНОВ-КОМПОЗИТОР

Творческая индивидуальность Рахманинова. — Ранние произведения (опера «Алеко», ор. 1—16). — Годы зрелости (произведения, написанные в период создания Второго концерта для фортепиано с оркестром, ор. 17—23). — Две оперы. — Произведения, написанные в Дрездене (ор. 26—29). — «Третий период» (ор. 30—42). — Рахманинов — обладатель премии Глинки. — Духовная музыка («Литургия» и «Всенощная»). — Всемирное значение Рахманинова-композитора.

Каждое истинное произведение искусства — это отражение личности его создателя, и не только в ограниченном масштабе, как реакция на отдельные внешние или внутренние побудительные начала. Существует общий дух, пронизывающий все произведения художника, вплоть до самых, казалось бы, незначительных. Согласно изречению Бюффона, «стиль — это человек». Вряд ли есть необходимость доказывать, что стиль является неотъемлемой чертой всякого искусства; он в такой же мере присущ языку Музыки, как и Литературы. Художественное произведение всегда предоставляет нам возможность проследить за развитием жизни его создателя, в особенности если вникнуть в изменения, которые претерпевает его почерк. Основные качества, остающиеся неизменными по мере развития личности, и представляют собой то, что мы называем «индивидуальностью»; они находят свое соответствие и в стиле. Это можно проверить на примере любого сочинения истинного творца. Если говорить именно о композиторах, то их стиль — это просто-напросто результат того, как они «слышат» Вселенную и в какую форму облекают свои впечатления. Рахманинов не является исключением из этого правила.

Будущие историки музыки и биографы не преминут, как это принято, разделить творчество композитора на три или четыре периода. Сегодня, когда Рахманинов находится в зените сил и расхаживает среди нас, полный жизни, после долгой паузы явно устремленный к обновленному и пышному цветению своего созидательного гения, такой метод, по меньшей мере, был бы преждевременным, если даже считать, что в точной и окончательной классификации есть смысл. Однако даже и теперь мы можем обозначить некоторые пики и кризисы в творчестве Рахманинова, которые, наверное, в один прекрасный день смогут лечь в основу подобной классификации. Его творчество предстает перед нашими тазами как волнующая и прекрасная горная панорама, постоянные подъемы и спуски, которые ведут нас от уединенных равнин к сверкающим вершинам, откуда нам открывается величественный вид на огромные пространства его музыкальных владений.

Первый пик был достигнут во внезапном взрыве юношеской силы Прелюдией до-диез минор (ор. 3); за ним последовал спуск с отклонением, долгие блуждания по равнине с риском потеряться среди опасных зыбучих песков (Первая симфония, Каприччио на цыганские темы ор. 12 и другие сочинения), и наконец полное исчезновение всяческих созидательных импульсов, серьезная моральная депрессия, которую мы описывали в шестой главе. Следующим пиком стал Второй фортепианный концерт, который и по сей день многими рассматривается как высшее достижение в творчестве Рахманинова. Есть, однако, и другое, не менее авторитетное мнение, согласно которому творческий поиск привел Рахманинова к еще большим высотам, когда он сочинил свой Третий фортепианный концерт, поэму для симфонического оркестра, хора и солистов «Колокола» и «Всенощное бдение». Даже равнины, которые разделяют эти горные вершины и усеяны небольшими сочинениями, в основном фортепианными пьесами и романсами, постепенно набирают высоту по мере того, как продолжается наше путешествие.

В поиске основных элементов, из которых складывается творческая артистическая индивидуальность Рахманинова и, следовательно, его «стиль», мы неминуемо придем к такому выводу: это те же элементы, которые характеризуют его народ, потому что Рахманинов — прежде всего русский. И русский, который объединяет в себе все основные черты народа, обладающего громадной силой духовной жизни. Это русский, описанный Кайзерлингом в книге «Фантом Европы»; его слова в первую очередь вызывают у читателя образ Рахманинова: «Русские — это великий народ не потому, что они славяне, но из-за силы, влитой в них монгольской кровью, которой лишены другие славянские племена. В результате такого смешения возникло великолепное сочетание тонкой духовности и властной силы, которое делает русский народ столь великим». Именно «сочетание тонкой духовности и властной силы» наложило мощный отпечаток на личность Рахманинова и отчетливо выявляется во всем его творчестве. К этому следует добавить другую, чрезвычайно характерную черту его темперамента, которая еще более определенно указывает на его восточные корни. Я имею в виду резко выраженный фатализм, глубокое ощущение неотвратимости судьбы. Тот самый фатализм, который однажды заставил русский народ склониться под татарским игом (откуда отчасти и просочилась в него монгольская кровь, упомянутая Кайзерлингом) и сегодня позволяет сносить тиранию большевизма и которым, задолго до Рахманинова, отмечены произведения столь многочисленных российских художников самого высокого ранга. Достаточно вспомнить Чайковского, то упорное ощущение власти рока, которым проникнута не только симфоническая поэма под названием «Фатум», но также и Четвертая и Пятая симфонии, с их философским осмыслением неотвратимости грядущего. Вот и Рахманинов уже в первой своей экскурсии в область композиции покоряется той же самой Судьбе, мойрам древних греков. Он не вступает в серьезную борьбу с ней, нет, он смиренно склоняет голову, несмотря на редкие попытки сопротивления: он покоряется, потому что знает: Судьба сильнее человека. В этой связи обратите внимание на конец знаменитой до-диез-минорной Прелюдии, который представляет собой не что иное, как «Песнь судьбы», или первый из двенадцати романсов (ор. 21, «Судьба» на стихи Апухтина), Вторую симфонию, но, конечно, более всего на «Колокола». Во всех этих сочинениях перед художником появляется неумолимая и угрожающая Судьба, готовая в любой момент расправиться с ничтожным человеческим существом, если он попытается вступить с ней в борьбу. Рахманинову она никогда не сулит радостей и счастливых свершений, но лишь темные пугающие предзнаменования, которые простирают свою жуткую тень не только над его творчеством, но и над участью всего человечества. Но как мы сказали, он почтительно склоняется перед таинственным могуществом, с которым неизвестные благодатные силы ведут его через жизнь, — может быть, потому, что только их он считал источником своего вдохновения. Одна лишь Смерть может победить Судьбу!

Кроме этих свойств, типичных для русского человека, музыка Рахманинова открывает, конечно, множество совершенно специфических и личных качеств Рахманинова. Если предшествующие страницы верно рисуют облик композитора, то легко определить присущие его натуре качества, раскрытые также и в музыке. Я хочу привлечь внимание только к одной из его черт, которую поверхностный взгляд ошибочно мог бы счесть «нерусской». Это достойная сдержанность, напряженная углубленность, с помощью которых он скрывает самые сильные проявления чувств. Когда сила его страстного темперамента грозила вырваться на волю, он еще туже стягивал путы. В музыке Рахманинова что-то всегда остается недосказанным. Для Рахманинова невозможно обнажить сокровенные чувства. Даже в самом сильном всплеске эмоций он соблюдает большую или меньшую сдержанность, не исчерпывая мощи своего самовыражения. В этом отношении он сильно отличается от своего музыкального и духовного прародителя Чайковского, иной раз повергаемого эмоциями чуть ли не в состояние истерики. Рахманинов никогда не теряет некой доли самоконтроля, несмотря на сокрушающую силу вложенного в музыку чувства. Эта сила, однако, никогда не вызывает окончательного пароксизма, он никогда не предстает перед нами человеком, в отчаянии рвущим на себе волосы, дико жестикулирующим, катающимся по земле и скребущим ее ногтями... Может быть, его музыка не действует на нас так впрямую и с такой же жизненной реальностью, как эго происходит у Чайковского, но ее эффект часто глубже и продолжительнее. Эта особенность рахманиновской музыки, без сомнения, связана с характерным для него отношением к жизни: музыкальный аристократизм, который, конечно, не имеет никакого отношения к его происхождению, поскольку в этом смысле сын извозчика может быть аристократом в той же степени, что и сын короля. Это просто означает, что позиция Рахманинова отличается от позиции обывателя: она существенно свободнее, шире, более сдержанна, умеренна и менее назойлива.

«Музы — дочери памяти. Искусства без воспоминаний не существует», — сказал выдающийся французский писатель и этими словами обозначил точку зрения, с которой мы должны рассматривать и изучать все произведения искусства. Не существует ни одного начинающего художника, который в годы своего развития смог бы избежать разнообразных влияний — если только он не проводит свою молодость на необитаемом острове, полностью отрезанном от остального мира. Юный орел, прежде чем пуститься в дерзновенный полет в неизведанные высоты, должен научиться искусству расправлять крылья у умудренных опытом птиц.

Нам известны те влияния, которые витали вокруг распускающегося музыкального гения Рахманинова. Он начал путь композитора с совершенно безыскусного, откровенного и поэтому обезоруживающего подражания Чайковскому.

Да и могло ли быть иначе? Было бы неестественным, если бы он поступил по-другому, потому что в момент, когда Рахманинов делал свои первые шаги, Чайковский являлся непререкаемым авторитетом среди русских композиторов. Больше всех городов Российской империи ему поклонялась Москва. Могучая гипнотическая сила, с которой музыка Чайковского действует даже сегодня, естественно, непреодолимо влекла к себе юного русского и многообещающего композитора, хотя музыкальный язык «Патетической» казался еще новым и необычным. Неудивительно, что юный Рахманинов пал жертвой этого соблазна, тем более что огромное и непосредственное обаяние личности самого Чайковского усиливало впечатление, производимое его музыкой. В музыкальном мире не было ничего более благородного или почетного, чем следовать по стопам этого боготворимого мастера тропой, ведущей, по мнению всей Москвы, на вершины Олимпа. Явное поклонение Чайковскому юного Рахманинова поощряли его основные педагоги — Аренский и Танеев; им, впрочем, не приходилось отстаивать свое мнение в борьбе. Как мы знаем, Москва руками и ногами отбивалась от новых музыкальных идей, представленных последователями «Новой русской школы» в Петербурге. Значимость таких фигур, как Римский-Корсаков и Бородин, еще никак не признавалась, и в Москве их всего лишь снисходительно терпели, Мусоргского отвергали, а вопрос влияния современных западных коллег не рассматривался в течение десятилетий. На Вагнера все еще смотрели с подозрением; Брамс — после уничтожающего суждения Чайковского — в течение многих лет полностью игнорировался музыкальным миром Москвы; французских импрессионистов пока не знали. Так случилось, что

Москва наградила Чайковского неоспоримой суверенной властью над всеми прочими музыкантами, живыми и мертвыми, и в ослепительном блеске его величественной позиции померкли все другие влияния. Кроме Чайковского и «неизбежных» классиков, как единственные столпы музыкальной культуры могли рассматриваться Шопен и, может быть, Лист — последний через посредство Чайковского, чьи оркестровые сочинения обнаруживают одну или две краски, заимствованные им из палитры создателя симфонических поэм. К ним можно добавить, наверное, Антона Рубинштейна, чья плодовитая муза находилась слишком близко, чтобы рассмотреть плоды ее творчества с нужного расстояния. Соответственно, в самых ранних произведениях Рахманинова мы можем найти следы влияния Шопена, Листа и Рубинштейна, но во время создания первых пятнадцати опусов оно не имело решающего значения. В дальнейшем, и в совершенно ином аспекте, Лист приобретает большую роль в творчестве Рахманинова. На ранних же стадиях композитор оказался всецело во власти Чайковского.

Уже в своей первой одноактной опере «Алеко», экзаменационной работе при окончании консерватории, Рахманинов, восхищенный создателем «Евгения Онегина», следует естественному побуждению подражать мастеру. Чайковский и сам мог написать эту оперу, и отнюдь не в худший из своих дней. Она написана в простом мелодическом стиле, который Чайковский так ценил у старших романтиков немецкой и французской сцены. Мелодии выразительны и одушевлены сильным чувством, хотя и не всякий раз представляют собой выдающееся открытие. Примечательна скорость, с которой юный композитор написал оперу (партитура, как известно, была закончена меньше чем за пятнадцать дней). Когда Рахманинов сочинял своего «Алеко», европейские сцены с беспрецедентным успехом обошла «Сельская честь». А потому наш юноша, подражая этому произведению, прибавил к партитуре своего экзаменационного задания Интермеццо. В сценической ремарке указано: «Луна скрывается за облаками, и постепенно рассветает». Пока слушатели наблюдают за происходящим, валторна ведет красиво гармонизованную мелодию, которая, к сожалению, так и не достигла популярности своей предшественницы у Масканьи. Каватина, часто исполняемая Шаляпиным, и «Цыганские танцы» — единственные мелодии из «Алеко», которые по-настоящему тронули сердца русской публики.

В юношеской опере мы можем найти лишь едва уловимые намеки на ту характерную, специфическую для Рахманинова особенность, которую он привнес в русскую музыку. Вместо нее мы обнаруживаем пока добрую толику музыкальной энергии и мощного темперамента, которые находим в эпизодах высокого эмоционального напряжения. Эта присущая Рахманинову мощь, с того времени навсегда вошедшая в творчество Рахманинова — композитора и пианиста, позволила ему достигнуть величественных эффектов, к которым он стремился. Несмотря на молодость автора, опера заняла собственное, причем достаточно высокое, место. В оркестровке мы уже находим намеки на будущего *alfresco painter*[1] «Франчески да Римини».

Вслед за оперой «Алеко», не имеющей номера опуса, появился официальный op. 1 Рахманинова, его Первый

---

[1] Художник фрески (*итал.*).

фортепианный концерт фа-диез минор. Но во время ружейной перестрелки в октябре 1917 года в Москве Концерт подвергся такой основательной переделке, что едва ли хоть одна нота осталась в нем нетронутой. В нынешней форме его нельзя рассматривать как раннее произведение композитора, он должен быть помещен где-то между Третьим и Четвертым концертами — среди первых номеров четвертого десятка его сочинений.

В числе произведений, созданных Рахманиновым в ранний период, мы находим сочинения разной степени значимости: несколько превосходных романсов и несколько отдельных фортепианных пьес высочайшего качества — среди них Прелюдию до-диез минор (ор. 3). Все сочинения, номера опусов которых находятся между 2 и 16, — это скорее обещание, чем его воплощение. Иногда встречаются не слишком значительные сочинения (не считая одной или двух прекрасных идей) — это ор. 2 для виолончели и фортепиано, две пьесы ор. 6 для скрипки и фортепиано и шесть фортепианных дуэтов ор. 11. Единственное, что выделяется среди таких работ, — это заключительный парафраз на тему «Слава», знакомый нам по произведениям Римского-Корсакова и Мусоргского, с гармоническими изменениями. Одним словом, эти сочинения, так же как фортепианные пьесы ор. 3 и ор. 7, не более чем приятная музыка для салонов, которой частенько снабжали гостиные Чайковский и Рубинштейн. Прелюдия до-диез минор (ор. 3), стоящая особняком в этой группе, имела фатальное воздействие на другие сочинения Рахманинова, вызвав в мире настолько пристальное внимание к себе, что на долю остальных фортепианных произведений композитора ничего почти и не осталось. Среди других пьес из ор. 3 и ор. 10 только откровенно эмоциональная Элегия и очаровательно зыбкая Баркарола стали по-настоящему популярными.

Из двух больших камерных произведений, относящихся к этому периоду, привлекает внимание «Фантазия» ор. 5 для двух фортепиано как первая попытка написать программную музыку. Подзаголовок *Tableaux*[1], указанный в этом сочинении, Рахманинов в дальнейшем использует для всех своих фортепианных произведений. Четыре части озаглавлены строками из стихов Лермонтова, Байрона, Тютчева и Хомякова. Последняя часть содержит изумительный *corrilon*[2] — первый из когда-либо сочиненных Рахманиновым, — он воспроизводит перезвон больших колоколов православной церкви так близко к их истинному звучанию, как только можно этого добиться на фортепиано. Мы помним, что Рахманинов с самого раннего детства проявлял живой интерес к музыкальной стороне ритуала русской церкви. Как и многие другие русские композиторы, он был одержим задачей воспроизведения «иррационального» звука русского колокольного звона и удивительных ритмических хитросплетений, рождаемых руками звонарей, на обычных музыкальных инструментах, с помощью нот определенной длительности. Он неоднократно делал такие попытки: в симфонии «Колокола», в фортепианных пьесах и романсах.

Фортепианное трио ор. 9 («Памяти великого художника») — это полное, до мельчайших деталей, подражание ля-минорному Трио Чайковского. Подражание, однако,

---

[1] Картины (*франц.*).
[2] Перезвон (*фрнц.*).

служило определенной цели. Если в посвящении Чайковского под словами «великий художник» подразумевался Рубинштейн, то в данном случае это был сам Чайковский. Все сочинение — это дань почтения умершему художнику. Главная тема, отданная виолончели и звучащая на фоне партии фортепиано, с ее постоянной мелодической фигурой, снова возникает в финале и представляет собой надгробный плач; его лишенная аффектации простота, свободная от ложного пафоса, вызывает по-настоящему сильное волнение. В дальнейшем Рахманинов перерабатывал это сочинение, которое по причине молодости автора страдало некоторыми просчетами, но он не трудился над ним так же фундаментально, как над Первым концертом, и ему не удалось полностью устранить некоторые недостатки формы, вызванные отсутствием опыта.

Из трех оркестровых сочинений, написанных в юности, только одно заслуживает серьезного внимания: симфоническая поэма «Утес» по стихотворению Лермонтова. Это раннее сочинение, часть эпизодов которого, безусловно, вызывает критические замечания, тем не менее неоспоримо доказывает, что Рахманинов родился оркестровым композитором. Он соединяет в себе необычайно тонкое чувство звукового колорита с естественной техникой оркестрового изложения, удивительного в столь юном возрасте. Уже в «Алеко» привлекает внимание удачная инструментовка, которая показывает безусловную оригинальность в звукописи. Это качество вырастает до высокой степени в симфонической поэме или «фантазии для оркестра», как называет произведение сам композитор. Мрачный текст лермонтовского стихотворения неизбежно ведет его к выбору темного оркестрового колорита, где тени властвуют над светом. Обычное для Рахманинова предпочтение, отдаваемое им темным оркестровым краскам, прекрасно согласуется с той философией фатализма, которую мы слышим в его музыке. Так продолжается по сей день. Два других оркестровых произведения того времени — Каприччио на цыганские темы ор. 12 и Первая симфония, носящая несчастливый номер опуса — 13, о которой мы много говорили в пятой главе. После первого исполнения симфонии в Санкт-Петербурге ни одна нота из нее не проникла более в мир. Была ли ее рукопись сохранена московскими музыкальными властями вместе с другими музыкальными «остатками» или она потеряна, мы не узнаем никогда. Над оркестровым Каприччио на цыганские темы ор. 12 доброжелательному критику следовало бы опустить завесу молчания, тем более что это единственное из детищ, от которых их создатель предпочел бы отказаться. Здесь, как и в танцах из «Алеко», интересно отметить слабость композитора к «цыганской музыке», которая, как мы знаем, составляла немалую часть музыки предреволюционной России и высоко ценилась ведущими русскими вокалистами.

Долгое время считалось, что мощь рахманиновского таланта в основном лежит в области сочинения романсов. Это мнение нельзя назвать несправедливым, в особенности если рассматривать самый ранний период творчества Рахманинова. Сегодня мы можем сказать, что и в вокальной музыке он занимает место в кругу лучших русских композиторов. Среди его романсов, в особенности самых ранних, есть, без сомнения, несколько, каждый из которых мог бы принести ему такое же бессмертие в русскоязычном мире, как и его предшественникам, Глинке и Чайковскому, даже если бы он ничего больше не сочинил.

Когда мы говорим о русских композиторах-«вокалистах», нужно прежде всего иметь в виду, что на огромных пространствах, находившихся во власти царя, песня очень долгое время не принимала форму западноевропейских немецких *Lieder*, характерных в особенности для Шуберта и Шумана. В России процветал так называемый «романс», с любовью взлелеянный Глинкой и его предшественниками (Гурилевым, Варламовым и другими). Это было абсолютно оригинальное явление, основанное на простых мелодических законах народной песни и итальянской канцоны, оказывавших свое главное воздействие с помощью мелодии в сочетании с простейшим аккомпанементом, без всякой цели раскрыть подлинную музыкально-психологическую основу стихотворения. Мусоргский страстно восставал против такого рода вокальных сочинений и стал основателем другого рода русской вокальной музыки. Позднее проблему попытался решить Николай Метнер, но исходя из другой точки отсчета, основываясь более на творчестве немецкого песенного классика Гуго Вольфа. Одновременно романс развивался и в ином направлении, взращивая цветы тончайшей прелести и небывалого аромата. Путь этот вел от Глинки и Чайковского прямиком к Рахманинову, ставшему последним, но отнюдь не «последним» представителем этой школы. И только в самых поздних романсах ор, 38 Рахманинов показывает нам потрясающее изменение стиля. Правда, мы уже видели намеки на него в группе романсов, написанных санных после ор. 26, однако вплоть до ор. 38 он не принимал еще настолько зримых очертаний.

Разница между композитором, пишущим по вдохновению, и тем, кто «работает», заключается в следующем:

первый, прочитав стихотворение, немедленно схватывает уже готовую заключенную в нем мелодию, которая сразу же облекается в единственно возможную, продиктованную стихотворением форму, являющуюся музыкальным воплощением слов. Однажды спетая, она уже нерасторжимо связана с этим стихотворением. Следовательно, идея, заключенная в словах, — это решающий фактор для написания вокального сочинения. Рахманиновские романсы, написанные даже в ранний период, часто показывают нам прямую связь с мыслью поэта, и вдохновение, по мановению которого они написаны, часто поднимает их до высот бессмертия. Один или два таких романса мы можем найти в каждой из трех групп романсов — ор. 4, ор. 8 и ор. 14.

Из романсов, принадлежащих к ор. 4, чьи слова, не случайно выбранные юным композитором, дышат страстно выраженной любовной тоской, один написал на прекрасные стихи Пушкина «Не пой, красавица, при мне». Будучи услышан единожды, он остается со слушателем навсегда. Этот романс со всей его выверенной композицией — настоящий шедевр. Мелодическая линия, из которой он развивается, совершенно соответствует словам, как и «туманные» гармонии явно восточного характера в заключительных тактах, где сменяют друг друга мажор и минор. Романс посвящен Наталье Сатиной, впоследствии ставшей женой композитора.

Романсы ор. 8 «Дума» и «Полюбила я на печаль свою» — единственные, написанные на народные слова, — полностью соответствуют фольклорной стихотворной основе. Романсы такого рода очень редко встречаются у Рахманинова, и эти два, безусловно, представляют собой самые русские из его вокальных сочинений. Удивительные повороты мелодии напоминают плоды самого счастливого вдохновения в самой русской народной песне и основаны на свободных асимметричных ритмах, отражающих главный принцип русского церковного пения; у Рахманинова этот принцип выражен даже в большей степени, чем в русских народных песнях, и приобретает огромное значение в более поздних его сочинениях.

Двенадцать романсов ор. 11, помимо одного или двух достаточно значительных, содержат жемчужину, которая должна быть причислена к самым драгоценным сокровищам русской вокальной литературы и, безусловно, может стоять в одном ряду с самыми изысканными образцами гения Шуберта и Шумана. Эго «Островок». Стихотворение Бальмонта, представляющее удачный перевод из Шелли, полно невыразимой нежности, и так же нежна, волшебно проста и волнующая музыка, в которую Рахманинов облек их. Ярким контрастом к этой несравненной вокальной жемчужине является другой романс из того же опуса, который завоевал в России необыкновенную популярность. Романс «Весенние воды», вдохновленный непокорным темпераментом и необузданным вихрем, смел на своем пути все преграды: ни одно сердце не смогло устоять перед ним. Огромная сила выражения, хотя и использованная с особенным благородством, проявляется в последнем романсе ор. 14, «Пора», страстном призыве к всеобщему пробуждению — мир мог бы прислушаться к нему и в наши дни. Между прочим, в основе своей этот романс построен на том же самом мотиве, что и до-диез-минорная Прелюдия, с той разницей, что основной тон доминанты берется внизу, а не наверху.

Романсы, написанные Рахманиновым в начале творческого пути, уже показали нам, что появился обладающий оригинальностью и значительностью композитор, которому есть что внести в этот мир. Как и другие произведения этого периода, романсы выявляют некоторые отличительные черты в использовании музыкального языка, особенности почерка, характеризующие всякого великого композитора и сопровождающие его всю жизнь. Они обычно называются «стилем» и зависят от чисто технологических приемов. Обращает на себя внимание явная приверженность Рахманинова к органному пункту, который часто распространяется на весь романс или другое сочинение; тенденция к сопровождению в аккордах с волнообразным движением вверх и вниз; распространение — трудное для определения — сумрачного гармонического воздействия со сменами мажорных и минорных тональностей; предпочтение плагальных кадансов, идущих одновременно с доминантой или ее видом и, наконец, над всем — тенденция «продвигать» вперед мелодию постепенно, наблюдая за ближайшими возможными рядами с частым повторением одной и той же ноты мелодии. Последнюю особенность Рахманинов, должно быть, бессознательно, заимствовал у русской церковной музыки, которая дала ему так много ценного и важного. Литургические *cantus firmi* русского церковного ритуала всегда двигаются поступенно вверх или вниз, причем терция встречается чрезвычайно редко, а большие интервалы просто неизвестны. Большинство мелодий Рахманинова напоминают именно такое построение и часто достигают невероятной силы выразительности.

Последнее произведение, написанное им в ранний период творческой деятельности, — это «Музыкальные моменты» для фортепиано ор. 16. С одной стороны, эти произведения принадлежат к ранним сочинениям композитора, но некоторые из них (№ 2 ми-бемоль минор, № 4 ми минор) носят уже следы зрелости и, в отличие от предыдущих сочинений для фортепиано, прямо указывают на выработанный и технически изощренный стиль фортепианного изложения, который будет характеризовать немедленно последовавший за этим временем период.

В последнее десятилетие XIX века в творческой деятельности Рахманинова наступила затяжная гнетущая пауза. Она длилась четыре бесконечно долгих и трудных года. Вставал тревожный вопрос: что будет дальше? Что означает это затишье — конец невероятных надежд, предвещавших мощный расцвет, или оправдание ожиданий? Наконец на повороте к новому столетию наступила долгожданная перемена. Вступила в свои права и раскрылась в пышном цвете новая изобильная весна, богаче и прекраснее, чем можно было надеяться. Из неиссякаемого источника одно за другим полились сочинения, и что достаточно странно, казалось, будто это совершенно новый Рахманинов, который, как феникс, поднялся из пепла темных лет депрессии. Куда делись «влияния», эти препятствия, тормозившие авторские усилия? Где та славянская склонность к подражанию, которая до сих пор руководила его работой? Все исчезло, все было отброшено, как ненужная одежда, из которой Рахманинов вырос. Так годы перерыва завершились тем, что трудно было ожидать от периода лихорадочной активности: Рахманинов обрел себя, свой стиль, свой язык, который отныне всегда можно будет узнать и который нельзя спутать ни с каким другим.

Если до этого времени Рахманинова можно было расценивать как восходящую звезду на музыкальном небосклоне Москвы или, скорее, как местную московскую знаменитость, то теперь ор. 17 представляет его нам как композитора, привлекающего внимание не только Российской империи, но всего мира. Друг за другом быстрым потоком из-под его пера выливаются шедевры, каждого из которых было бы достаточно, чтобы обеспечить ему место среди самых крупных представителей российской и европейской музыки.

Раньше, в одной из глав этой книги, мы уже упоминали о том, каким мощным потоком хлынули идеи Рахманинова после того, как он пробудился к новой жизни. Вскоре у него оказалось гораздо больше материала, чем нужно было для Второго фортепианного концерта, над которым он работал. Многое пришлось из него выкинуть, и чтобы этот материал не пропал, композитор воспользовался им в нескольких других произведениях, которые завершал в это же время. Поэтому получилось так, что все сочинения, написанные одновременно со Вторым концертом ор. 18, отличает близость, которая заметна не только в обращении с материалом, но и в родственности тем. К таким сочинениям относится Вторая сюита для двух фортепиано ор. 17, Соната для виолончели и фортепиано ор. 19, кантата «Весна» ор. 20, романсы ор. 21, Вариации для фортепиано на тему Шопена ор. 22 и прелюдии для фортепиано ор. 23.

Уместно ли останавливаться на оценке Второго фортепианного концерта? Современный музыкальный мир вынес свой вердикт по поводу этого сочинения, гораздо более важный и значительный, чем все, что я могу сказать. В течение последних тридцати лет едва ли найдется пианист высокого статуса, который не включил бы в свой репертуар произведение, стоящее в ряду самых известных шедевров этого жанра. Второй фортепианный концерт Рахманинова никогда не исчезал из репертуара симфонических программ. Эти факты красноречивее самых восторженных похвал. Весь тематический материал в Концерте единого характера. Он полон счастливого вдохновения — явление, редкое даже у самых великих мастеров и несущее печать бессмертия. Как «небесный гость», пользуясь шумановскими словами в описании одного из порывов такого вдохновения, является побочная тема первой части, провозглашаемая валторной на фоне тремоло струнных. Рядом с взвившимся ввысь пиком — Вторым концертом — с трудом выдерживают соседство другие произведения того времени, несмотря на их выдающиеся достоинства. Мы привыкли смотреть на них как на равнинный ландшафт, и если бы существовали только эти произведения, мы сочли бы такой взгляд несправедливым. В фортепианных пьесах все сильнее и сильнее выражается пианистический стиль композитора — благодаря невероятной величине своей руки он легко справлялся с техническими трудностями, оказывавшимися весьма ощутимыми или даже непреодолимыми для других исполнителей. Среди десяти прелюдий op. 23 мы находим широко известную соль-минорную Прелюдию, взволнованный военный быстрый марш, который развивается с громадной энергией, в середине же возникает невероятной красоты тончайшая мелодия, словно несущая в себе отсвет горизонта российской равнины. Не исключено, однако, что кто-то предпочтет очевидной красоте этого сочинения более неуловимую, но производящую не меньшее впечатление магию до-мажорной гимнической Прелюдии,

Менуэта в соль-минорной или бесконечно нежную прелесть ми-бемоль-мажорной Прелюдии.

В высшей степени оригинальны, но, к сожалению, гораздо менее известны Вариации на до-минорную Прелюдию Шопена (быть может, единственная, которая может соперничать по популярности с до-диез-минорной Прелюдией Рахманинова). Огромное воздействие темы в каком-то смысле ослабляет прямой эффект искусных и временами очень оригинальных вариаций. Быть может, композитор выиграл бы, не раскрой он, так сказать, своих карт до конца игры, то есть если бы он закончил произведение шопеновской темой вместо того, чтобы начать с нее.

Ближайшие «соседи» Второго концерта — это Вторая сюита для двух фортепиано ор. 17 и Соната для виолончели ор. 19 — произведения, кипящие неисчерпаемыми запасами музыкальной свежести юности. В Сюите необычайной привлекательностью и взволнованностью отличаются «мейстерзингеровская» Прелюдия и двухголосные фрагменты Вальса; в Сонате для виолончели, где тональная сила фортепиано, скорее, не сбалансирована с партией струнного инструмента, — это очаровательное с его странными гармоническими полутонами.

Из двенадцати романсов ор. 21 немалое количество навсегда займет достойное место и русской музыке. Это прежде всего в высшей степени драматический романс на слова Апухтина «Судьба», посвященный Шаляпину; для его музыкального фона композитор заимствовал главную тему Пятой симфонии Бетховена, широко известную как «тема судьбы». Одинакового достоинства с мечтательным «Островком» ор. 14 и «Сирень», свежая как роса, скромно-нежная и по этой причине необычайно проникновенная.

Композитор впоследствии написал замечательно удачную транскрипцию этого романса, которая представляет собой ювелирный шедевр изысканной красоты и высокого совершенства. Наконец, среди этих романсов есть один, который может быть расценен как собственная исповедь композитора. Это волнующее сочинение могло бы послужить самым точным эпиграфом для жизни и творчества Рахманинова. Первый куплет звучит так:

Я не пророк, я не боец,
Я не учитель мира.
Я Божьей милостью немец.
Мое оружье — лира.

Особое место среди произведений Рахманинова занимает кантата «Весна», написанная на стихи Некрасова. Это первое сочинение, в котором мелодическая и гармоническая структуры слегка напоминают нам о существовании сочинений Вагнера. Я не считаю, что сие обстоятельство в какой бы то ни было степени умаляет достоинства этого сочинения. Оно действительно представляет собой кантату-соло, причем сольная партия баритона имеет не меньшее, если не большее значение, чем хоровая партия. Сюжет может быть пересказан в двух словах: крестьянин замечает неверность своей жены и в течение долгой зимы, которую проводит взаперти наедине с ней в их жалкой лачуге, вынашивает план ее убийства. А потом приходит весна во всем своем всепобеждающем великолепии, и среди ликования и веселья, царящих вокруг, нож выпадает из его руки; природа просыпается и окружает его множеством голосов, зовущих к любви, милосердию и прощению!

Приговор, который вынес этому произведению Римский-Корсаков (мы рассказывали об этом в главе седьмой), попал в точку. Более светлые, более весенние краски в оркестре придали бы большую убедительность прекрасной музыкальной идее. Как правило, Рахманинов не противится тому, чтобы пересматривать ранее написанные произведения, совершенствуя свои сочинения на основе позднейшего опыта, он находит смысл в таких «спасательных» работах. Может быть, в один прекрасный день у него возникнет желание «нарядить» свою кантату в более праздничную одежду, сообщив оркестру более яркий, весенний колорит. Этот труд не пропал бы понапрасну.

Принимая во внимание очень небольшое количество оперных сочинений, которые Рахманинов написал до сей поры, довольно трудно ответить на вопрос, обладает ли он такой же творческой мощью в области музыкально-драматических сочинений, какая свойственна ему в создании чисто оркестровых, вокальных или фортепианных сочинений. Он все еще должен представить нам убедительное доказательство своих возможностей на этой стезе, и две небольшие оперы, «Скупой рыцарь» и «Франческа да Римини», — единственные, находящиеся в нашем распоряжении помимо экзаменационной работы, оперы «Алеко», — не дают нам его. Сам факт, что после публикации двух опер Рахманинов в течение двадцати пяти лет и не помышлял о постановке своих сочинений на сцене, кажется нам весьма подозрительным. Об оперных композиторах всегда справедливо замечали: «Вы их узнаете по либретто». Но даже и этот тест не в пользу Рахманинова. Правда, мы не можем считать молодого композитора ответственным за выбор очевидно слабого либретто «Алеко», наспех сляпанного московским драматургом Немировичем-Данченко по поэме Пушкина. Написать оперу на это либретто были обязаны все выпускники консерватории. Но, создавая две другие оперы, Рахманинов имел полную свободу выбора. Могут возразить, что нельзя же предъявлять претензии к «Скупому рыцарю», поскольку сам Пушкин... Но в том-то и дело, что не все так просто.

Идея положить на музыку поэтическую драму великого поэта в ее оригинальной форме не была открытием даже в 1905 году. Впервые воспользовался таким методом русский композитор Даргомыжский, когда, не изменив ни строчки поэтического текста поэмы, написал музыку на стихи пушкинского «Дон Жуана». Десятью годами позже его примеру последовал Мусоргский, воспользовавшись прозаическим текстом комедии Гоголя «Женитьба», а затем уж и Римский-Корсаков написал оперу на одну из маленьких трагедий Пушкина «Моцарт и Сальери». Все эти оперы постигла одна и та же участь: сценический провал (лишь последняя продержалась некоторое время в русском оперном репертуаре благодаря гениальному исполнению Шаляпиным партии Сальери). К сожалению, эти примеры не остановили Рахманинова, и он не преминул обратиться к последней оставшейся маленькой трагедии Пушкина, на которую еще не была написана опера, — «Скупому рыцарю». Идея написать музыку непосредственно на гениальные стихи поэта, а не на переделку их сомнительным либреттистом, конечно, весьма соблазнительна, но музыканты забывают о том, что слово произнесенное производит совершенно другой эффект и занимает гораздо меньше времени, чем пропетое. Они не принимают во внимание, что самый важный компонент любого драматического произведения — временной и что происшествие, которое должно длиться мгновение, неизбежно растянется в музыке и потеряет всю свою силу. И даже если не учитывать все эти соображения, «Скупой рыцарь» не подходит для оперы, так как совершенно лишен драматургического развития, столь необходимого для оперного действия. Сцена в подвале, где несчастный старик остается наедине со своими вожделенными сокровищами, — психологический этюд грандиозной драматической силы, — это единственный эпизод, который оправдывает существование оперы. Характерно, что именно в этой сцене рахманиновская музыка тоже превосходит сама себя и поднимается до огромных высот.

Еще более неудачным оказалось либретто другой оперы. История Франчески да Римини, прекрасной грешницы из Равенны, чье имя Данте обессмертил в «Божественной комедии», — это, несомненно, в высшей степени благодарный драматический сюжет, который, подобно каждой истинной трагедии, с неумолимой безжалостностью двигается к своему завершению. «Франческа да Римини» могла бы стать идеальным оперным либретто, но, сочиняя его, Модест Чайковский, литературный соавтор Рахманинова, безнадежно провалился. Временами встречаются неплохие стихи, но хорошие стихи еще не создают драму, особенно в том случае, когда порочна сама конструкция. Модест Чайковский следует примеру своего великого брата Петра в симфонической поэме на этот же самый сюжет и делит либретто на две части: остов, который включает пролог и эпилог, и собственно драму. Пролог приводит нас вместе с Вергилием и Данте в подземное царство, где в упоительном вихре греховной любви без устали мечутся и толкутся все, кто для этого предназначен. Трагическая история Франчески и Паоло Малатесты образует лишь ядро оперы, но именно это ядро интересует слушателя, а не спуск в ад Данте и Вергилия. Из-за порочной композиции либретто слушатели не сталкиваются впрямую с трагедией, им лишь предложено отражение впечатления, сложившегося у Данте от истории, рассказанной Вергилием, описанной им и словах: «Мука их сердец/Мое чело покрыла смертным потом; и я узнал, как падает мертвец»[1].

История, полученная из вторых рук, вдвое ослабляет впечатление от происшедшей трагедии. С музыкальной точки зрения Рахманинов достигает в этих операх более высокого уровня, чем в своей первой опере — «Алеко», принимая во внимание хотя бы тот факт, что его чисто техническое мастерство и богатство средств выражения за это время обрело новую силу. Опыт оперного дирижера существенно обострил его чувство феномена оперы и драматургического развития. Медовый месяц, проведенный в Байрейте, тоже не замедлил сказаться на его стиле. В «Скупом рыцаре» мы замечаем преобладание речитативно-декламационного пения, являющегося в данном случае единственно приемлемым. Здесь, подобно тому, как это бывает в вагнеровских операх, центр тяжести перенесен на оркестр. Во «Франческе да Римини» больше мелодического материала и некоторые сцены даже развивают традиционные арии и любовные дуэты, полностью соответствующие характеру действия и выражаемым эмоциям. Оба произведения поражают нас силой в использовании многочисленных оттен-

[1] *Данте А.* Божественная комедия / Пер. М. Лозинского. М., 1967.

ков глубоких и мрачных оркестровых красок: Рахманинов, безусловно, уникальный живописец темного колорита. Мы видим его сидящим над палитрой, среди красок которой он находит все существующие на свете оттенки — от серого до глубокого черного. В прологе и эпилоге «Франчески да Римини» он создает жуткий эффект с помощью оркестра, перенасыщенного мглой полной безнадежности, добавив к нему звучание невидимого хора приговоренных, поющих самые смелые хроматизмы с закрытым ртом. *Lasciate ogni speranza*[1] — смысл этих слов, которые потрясают Данте, спустившегося к вратам Ада, всегда оставался основным лейтмотивом творчества Рахманинова. Неудивительно, что здесь ему удалось передать этот душевный трепет до конца. Обе оперы, несмотря на несомненные слабости, содержат очень много интересного и прекрасного, и остается только выразить глубокое сожаление по поводу того, что Рахманинов оставил свои творческие искания в этом направлении. План третьей онеры — «Монна Ванна» по Метерлинку, — как мы уже упоминали в восьмой главе, так и не осуществился. Может статься, будущее преподнесет нам сюрприз, который развеет все наши сомнения.

В годы, проведенные в Дрездене, где, как мы знаем, Рахманинову удалось добиться очень большой сосредоточенности, он написал три больших произведения: Вторую симфонию op. 27, Фортепианную сонату op, 28 и симфоническую поэму «Остров мертвых». Романсы op. 26, или, может быть, некоторые из них, принадлежат к тому же времени.

---

[1] «Входящие, оставьте упованья» (*итал.)*. Цит. по: *Данте А.* Божественная комедия. С. 18.

Мы уже знаем, что Рахманинов изредка пользовался тематическими идеями из так называемого «Обихода» — собрания литургических песнопений русской церкви для ежедневного пользования. Его Первая симфония была написана исключительно на эти темы. В сочинениях, созданных в Дрездене, тематический материал, напротив, сугубо авторский, хотя по структуре, суровой силе и простоте он вплотную приближается к песнопениям Русской православной церкви, несомненно нашедшим свое отражение и в Фортепианной сонате. В симфонической поэме «Остров мертвых» Рахманинов воспользовался римской католической темой, так часто встречающейся у Листа и других композиторов.

Творческое воображение Рахманинова всегда более всего подстегивали явления немузыкальные. Это могли быть отражения происшествий его личной жизни или переживания, связанные с другими искусствами, такими как поэзия или живопись. Подавляющее большинство его сочинений, крупных и небольших, представляют собой программную музыку. По общему признанию, программной является Первая симфония, и, думаю, не ошибусь, если выскажу предположение, что таковыми являются и Вторая симфония, и Первая фортепианная соната ор. 28, причем оба эти произведения связывает общая идея, основанная на определенных сходных программных построениях. Если нам захочется найти образцы двух подобных сочинений, то достаточно обратиться к Четвертой симфонии Чайковского и си-минорной Сюите Листа. Фанфары судьбы в Симфонии Чайковского Рахманинов заменяет угрожающими, гнетущими аккордами, в которых заключено напоминание о смерти, трубами и скрипками, издающими отчаянный стон, который затихает и умирает совсем. Эпиграфом этой симфонии могут послужить слова *Memento mori*[1]. И даже если сочинение хоть на мгновение достигает беззаботного настроения, роскошного расцвета, непреклонный в своей печали хор тотчас обрывает вспыхнувший перед покоренными слушателями свет мрачными напоминаниями о смерти. Особенно сильно это проявляется в заключительной части, Скерцо, едва ли не уникальном сочинении в музыкальной литературе последнего десятилетия. По величию замысла ему нельзя найти равных, за единственным, быть может, исключением — Скерцо из Девятой симфонии Брукнера.

Если Симфония, с ее мрачной атмосферой постоянного напоминания о смерти, об ее угрозе, ставит тревожный, напряженный вопрос судьбы, то Фортепианная соната, кажется, несет утешительный ответ. После того как задумчивый мотив вступления повторяется несколько раз, Соната завершается возвращением литургической темы первой части, теперь преобразованной в дифирамбический гимн. Все сомнения рассеиваются в сверкании ре мажора, и замысел композитора становится предельно ясным: выход к освобождению от всех человеческих тревог и темного страха смерти лежит в вере, в Боге.

Два этих произведения, Симфония и Соната, тесно связаны друг с другом не только по духу, но и в технологическом смысле. В первой части обоих произведений с несравненным мастерством используется как полифонический материал гамма, которая не является пассажем, но приобретает тематическое значение. Этот лабиринт гамм,

---

[1] Помни о смерти (*лат.*).

которые «бегут» через всю партитуру во всех возможных направлениях и в самых разнообразных длительностях, в результате сплетается в многоголосную, сделанную с большой искусностью сеть, полную своеобразного звукового очарования. Мы видим в Рахманинове мастера, стоящего на вершине своего искусства.

Когда я говорю, что си-минорная Соната Листа могла послужить образцом для Сонаты ор. 28, я имею в виду, что современная фортепианная литература не может представить нам другой сонаты подобного масштаба и такого свежего и блестящего использования возможностей инструмента. Более того, в конце *Andante* мы находим мимолетное гармоническое напоминание о старом мастере из Веймара — приветствие и жест почтения великому коллеге.

Симфоническая поэма «Остров мертвых» завершает серию дрезденских произведений, в основе каждого из которых стоят вопросы жизни и смерти, бёклинским видением скалистого острова, покрытого кипарисами и излучающего вечный покой. Музыкальная история являет нам не много сочинений, навеянных живописью. Наиболее известные — это, пожалуй, «Пляски смерти» Листа и Сен-Санса, написанные по мотивам Дюрера, Гольбейна и бесчисленных произведений других старых мастеров, а также «Картинки с выставки» Мусоргского, созданные по акварелям архитектора Гартмана. Воспроизвести статическое зрительное впечатление средствами динамичной игры звуков — это всегда отважное предприятие. Но если кто и преуспел в этих попытках, так это Рахманинов в «Острове мертвых». Уже первый мотив из пяти нот, в исполнении арфы и виолончелей, полон гипнотического могущества:

мотив струится монотонно, как волны, которые бороздит лодка Харона; он постепенно и непреоборимо втягивает слушателя в воображаемый мир, вращающийся по орбите смерти и конца, спокойствия и забвения, и безоговорочно отдает его во власть жуткого, но в то же время притягательного настроения, царящего в этой атмосфере. Естественно, что в этой картине, которая, так же как и Симфония, великолепно оркестрована, превалирует гнетущий, сумрачный, печальный колорит — иными словами, «специальность» Рахманинова. Единственное событие представляет собой эпизод, в котором старая литургическая мелодия *Dies Irae* пронзает мрак оркестра в тремоло альтов как содрогание предвестия смерти.

Пятнадцать романсов op. 26 не прибавляют ничего существенного к чертам портрета Рахманинова — композитора-«вокалиста», каким мы уже знаем его. В этом цикле примечательны «Христос воскресе» и «К детям». Первый — соответствием строгому моральному призыву, содержащемуся в тексте и имеющему актуальное значение; второй западает прямо в сердце благодаря своей трогательной простоте. Честь открытия этого романса, который до сих скрывался среди других вокальных произведений Рахманинова, принадлежит американскому тенору господину Маккормаку.

В произведениях op. 17—29 Рахманинов постепенно поднимается до такого композиторского мастерства, какого достигли лишь немногие русские композиторы — его предшественники. Даже если оставить в стороне тематический материал, нахождению которого, как мы все прекрасно понимаем, нельзя научить и который обязан своим появлением лишь вдохновению, один только грандиозный уровень мастерства, обнаруженный в этих произведениях, уже обеспечивает им бессмертие. Настоящее мастерство — прочно; оно крепкими корнями уходит в прошлое, проникает в будущее и живет вечно.

Несмотря на высокий уровень произведений, обсужденных выше, рахманиновская муза достигла следующего из тех пиков, которые возвышаются на его пути, в Третьем фортепианном концерте. Как мы уже говорили, компетентные критики будущего, возможно, сочтут, что Третьим концертом начинается «третий период» творчества композитора. Рахманинов никогда не был революционером ни в мыслях, ни в поступках; он не страдал от непредвиденных ударов, его развитие шло не рывками, в болезненных разрывах с духовными ценностями прошлого и триумфальных победах нового, но медленно и постепенно, без сколько-нибудь заметных скачков. Духовный рост этого композитора открывает перед нами картину спокойной, последовательной эволюции, лишенной лихорадочных потуг к новаторству. Отсюда следует, что не слишком легко установить точные моменты, когда в его творчестве наступала новая эпоха, хотя нет сомнения, что перемены произошли где-то на подходах к ор. 30. Они проявляются в изобилии гармонического материала, в вызывающем изумление расширении музыкального кругозора, позволяющем ему писать то, что всего десять лет тому назад заставило бы композитора лишь вздрогнуть с отвращением. Но сочтем ли мы началом нового периода в его творчестве Третий фортепианный концерт или написанный чуть позже ор. 35 — «Колокола», совершенно очевидно, что Третий концерт открывает совершенно новые и прежде неведомые особенности гармонического языка, достаточно существенные для того, чтобы считать их отправной точкой нового, третьего, периода. Абсолютно замечательным в этом сочинении является стремление к строгому тематическому единству, благодаря которому каждый эпизод и его продолжение развиваются непосредственно из тем и их различных ритмических вариаций. Поэтому филигранное густое кружево нот в этом большом произведении не содержит чужеродных ячеек, не являющихся неотъемлемой частью целого. Определение «Фортепианная симфония», которое может быть отнесено также и ко Второму концерту, явилось бы еще более справедливым для этого сочинения. Фортепиано и оркестр слиты здесь в неразрывном единстве, и даже в каденции, где по освященной веками традиции фортепиано остается в одиночестве, постепенно появляются инструменты оркестра, как бы для того, чтобы ответить стремлениям своего «солиста». Я без колебаний утверждаю, что Третий фортепианный концерт Рахманинова достиг уровня, не превзойденного ни его собственными предшествующими произведениями и ни одним из современных произведений в этом жанре. Его темы овладевают нами благодаря своей невероятной выразительной мощи и несравненному мастерству их построения в целом и в каждой детали.

Более чем двадцатилетний промежуток времени, содержащий десять опусов, отделяет Четвертый соль-минорный концерт ор. 40 от Третьего, но в сравнении с Третьим мы не находим здесь какого-нибудь существенного движения. Четвертому фортепианному концерту не одолеть того качественного скачка, который так высоко поднял Третий фортепианный концерт над другими сочинениями Рахманинова, однако он обнаруживает качество, которое мы до сих нор не находили в сочинениях композитора и которое представляется нам чрезвычайно привлекательным. Это полная независимость, спокойствие чувств и их выражения с несколькими вспышками юмора, который сменяет прежнюю суровость невинным весельем. В этом смысле Четвертый концерт Рахманинова напоминает другой Четвертый концерт, в той же тональности, но в ее мажорном варианте, то есть в соль мажоре: Четвертый Бетховена, который, если мы примем во внимание относительные пропорции, занимает среди произведений титана такое же место, как Четвертый концерт Рахманинова среди его произведений. Только один раз мрачная угроза смерти вторгается в это произведение: взрывы ревущих труб прерывают созерцательный покой средней части, но на этот раз мрачный глас предупреждения не воспринимается слишком серьезно. После трехкратного повторения он замирает, и воцаряется спокойное настроение *Largo*, которое приводит нас к веселому финалу. Бетховен после Четвертого концерта написал Пятый, в котором, возвращаясь на привычные позиции, меняет кроткий и философско-созерцательный характер музыки на пафос страстной борьбы против могучих сил Судьбы. Каков будет Пятый концерт Рахманинова? Ошибаюсь ли я, когда слышу в Четвертом растущее влияние Шопена и дань уважения норвежскому мастеру Григу? Как бы мне хотелось заглянуть в будущее!

На полпути, отделяющем Третий концерт от Четвертого, был подвергнут переработке Первый концерт фа-диез минор ор. 1. Из раннего произведения, по мнению самого композитора, бывшего недостойным лондонской аудитории, оно выросло в серьезное, зрелое сочинение, которое с распростертыми объятиями примет любой концертный зал. Надо признаться, что в новой версии от старого варианта Концерта осталось не более чем несколько самых красивых тем, которые сохранили обаяние и свежесть молодости композитора. Произведение нисколько не напоминает стрельбу на октябрьских улицах 1917 года — ведь именно тогда Рахманинов переделывал свой Первый концерт; мир воображения доказал, что обладает гораздо большей силой, чем реальный. Какое счастье быть художником!

Вокруг трех фортепианных концертов сгруппировано немалое количество произведений малых форм. Это прежде всего тринадцать прелюдий ор. 32. Зловещая цифра (в России число тринадцать — это так называемая чертова дюжина) объясняется тем, что этими прелюдиями Рахманинов завершает квинтовый круг. Складывается впечатление, будто Рахманинов чуть ли не нарочно спланировал количество своих прелюдий согласно примеру Баха, Шопена и Скрябина. Вместе с одной пьесой из ор. 3 и десятью из ор. 23 они составили теперь вместе двадцать четыре, то есть по одной прелюдии в каждой мажорной и минорной тональности — подобно «Хорошо темперированному клавиру». Характер цикличности собранных вместе пьес усиливается также и тем, что в последней Прелюдии (ре-бемоль-мажорной) вновь возникает основной мотив первой (до-диез-минорной), он появляется как видение и, надо признаться, в настолько завуалированной форме, что любому неискушенному слушателю надо иметь очень хорошие глаза и уши, чтобы обнаружить это.

С годами мастерство Рахманинова — фортепианного композитора неуклонно росло. Его фортепианная палитра расширялась и обогащалась в тщательно взлелеянных средних голосах и фигурациях аккомпанемента. В каждом сочинении очевидно, что Рахманинов пишет предпочтительно для собственных необыкновенных рук и безотказной быстрой аккордоной техники, являющейся столь для него характерной. Вряд ли вы найдете много пианистов — хорошо бы хоть одного, — кто мог бы соперничать с ним в исполнении некоторых из его фортепианных сочинений. По существу, большинство прелюдий op. 32 полностью опрокидывают представление о том, что прелюдия — незатейливая фортепианная миниатюра. Это роскошно построенные *tone pictures*[1], гораздо больше подходящие для концертных залов, чем для дома. Обозначение *tone pictures* выбрано не случайно: композитор сам дал такое определение двум следующим циклам своих фортепианных пьес, op. 38 и op. 39. Мы уже встречались с Рахманиновым как талантливым «живописцем» (*tone painter*) в области оркестровых сочинений («Остров мертвых»). Композитор признается, что даже и в более ранние периоды он получал музыкальные импульсы от зрительных впечатлений. В вокальных сочинениях музыкальные очертания более или менее ясно определены текстом; при сочинении фортепианных произведений бывает очень полезным оплодотворение музыкального воображения идеями, заимствованными из других искусств. У Рахманинова эта комбинация живописи и звука вырастала временами в принцип работы (термины «цвето-тон» и «тоно-цвет» в живописи и музыке используются не случайно). Его новые фортепианные пьесы были названы «Этюды-картины». Многие из них обязаны своим проис-

---

[1] Звуковые картины (*англ.*).

хождением полотнам Бёклина: № 8 op. 39 (соль минор) ассоциируется, скорее всего, с «Утром»; № 1 op. 39 (фа минор) — это «Волны». Иногда источником вдохновения для «Этюдов-картин» служили картины живой природы или сказочные впечатления: как, например, № 7 op. 33 (ми-бемоль минор), который рисует праздничную атмосферу русской ярмарки, или № 6 op. 39 (ля минор) — сказка «Красная Шапочка и Серый волк». Так как композитор намеренно отказывался приоткрывать источник своего вдохновения в каждом произведении, мы лучше еще раз на секунду приподнимем занесу над творчеством художника, с тем чтобы не искушать воображение читателя или исполнителя.

В «Этюдах-картинах» обнаруживается эволюционный процесс, через который проходила в то время гармония Рахманинова. В свободных, несимметричных ритмических построениях мотивов и фраз, которые, как мы знаем, используются в практике русского церковного пения и успешно и убедительно находят свое применение и «Этюдах-картинах», проявляется совершенно новый стилистический принцип. Сила звука, требуемая в некоторых «Этюдах-картинах», настолько велика, что композитор, кажется, переоценивает возможности самых лучших концертных инструментов. Складывается впечатление, будто его раздражают ограничения, накладываемые инструментом. Дирижер Бостонского симфонического оркестра С. Кусевицкий, понимая, что эту проблему можно решить только единственным способом, поручил итальянскому композитору Отторино Респиги, ученику Римского-Корсакова по инструментовке, оркестровать шесть «Этюдов-картин», Это было сделано по специальному разрешению композитора, который, совершенно очевидно, не имел желания сам «раскрашивать» собственные сочинения. Кусевицкий уже достиг блестящего успеха в подобном эксперименте с «Картинками с выставки» Мусоргского, которые по его настоянию конгениально оркестровал Морис Равель. Возможно, щедрое оркестровое звучание подойдет рахманиновским звуковым картинам еще больше, чем «черно-белое» фортепиано, ограниченное все же в своих возможностях даже под самыми умелыми руками.

Между двумя циклами «Этюдов-картин» была создана Вторая фортепианная соната. По стилю она почти не отличается от Первой. Такое же свободное фортепианное развитие, в котором, несмотря на тонкость деталей, основным фактором является плавный план. Очень красивая, задумчивая средняя часть. В ней прослеживается явная параллель с *Adagio* Третьего концерта. Первая и последняя части, исполинские по построению, требуют извлечения из инструмента его предельных возможностей.

Самые последние произведения Рахманинова — это «Вариации на тему Корелли» ор. 42, хорошо известные благодаря их переложению для скрипки, сделанному Фрицем Крейслером. Произведение, написанное в солидных пропорциях, может быть отнесено к классу «Вариаций на тему Шопена» ор. 22, но превосходит их по значительности музыкальных идей, зрелости и по бесконечной тонкости в вариационных трактовках и фортепианном изложении. Эти Вариации достойны самого почетного места среди лучших и наиболее знаменитых вариаций — таких, как бетховенские, шумановские или брамсовские. Мы проводили аналогию между творческой жизнью Рахманинова и горной грядой, с ее вершинами и ущельями, равнинами и пиками. Два из таких пиков мы уже обозревали: Второй и Третий фортепианные концерты. Теперь перейдем к созерцанию последнего и самого высокого пика, которого достиг созидательный гений Рахманинова. Среди своих «соседей» он поднимается на такую же недосягаемую высоту, как два предыдущих произведения над стоящими рядом. Это поэма для солистов, хора и оркестра (более симфония, чем оратория) «Колокола» ор. 35, написанная на стихи Эдгара Аллана По в русском переводе Константина Бальмонта. Редкий случай совпадения настроения, с множеством составляющих его нюансов, поэта и композитора. При таких обстоятельствах художественное сотрудничество гарантировало произведение высочайшего звукового совершенства. Рахманинов, так же как и поэт, не вполне свободен от болезненного, но созидательного томления по грандиозным мечтам-представлениям, рожденным в обоих случаях почти гнетущим пессимизмом но отношению к жизни во всех ее проявлениях. Погребальный звон, которым завершается стихотворение По, — это и рахманиновский символ итогов всех человеческих надежд: «Всякая радость кончается скукой»...[1] Перезвон колокольчиков в первой части, знаменующий беззаботный приход в жизнь, свадебные колокола во второй части, содержащей какие-то удивительно счастливые надежды, обжигающая тревога третьей, где огонь бунта, мятежа и опустошения сливается в сплошное пышное пламя роскошного буйства красок, в конце концов подчиняются колоколу смерти:

---

[1] Перевод дословный.

Неизменно-монотонный
Этот возглас отдаленный.
Похоронный тяжкий звон,
Точно стон —
Скорбный, гневный И плаченный —
Вырастает в долгий гул...[1]

Все завершается полным отчаянием, не нарушаемым ни одним лучом света. В этом смысле только Чайковского с его трагическим финалом Шестой симфонии можно считать предшественником Рахманинова. Оркестровая имитация последних глухих горестных колоколов в тяжелом, синкопированном ритме, интонированном кларнетами и валторнами в низких регистрах, арфами и струнными *divisi*, — образец совершенства в инструментовке. Вся партитура «Колоколов» — это, бесспорно, лучшее из всех оркестровых сочинений Рахманинова. Может быть, люди в Советской России, которые утверждают, что эта «Песнь песней» мрачного пессимизма представляет зримую аллюзию грядущей революции и ее возможных последствий — похоронные колокола! — не так уж неправы. Должны ли мы принять финал как последнее слово, сказанное на эту тему? Остается надежда на чудо, которое все изменит. И в этом случае мы не сомневаемся, что композитор также найдет и провозгласит более радужный, более оптимистический взгляд на мир!..

При обсуждении вокальной музыки Рахманинова мы намекали на то, что он постепенно освобождался от черт

---

[1] Цит. по: *Бальмонт К.* Избранное. М., 1980. С. 526.

русского романса и вырабатывал в дальнейшем развитии этого жанра совершенно другой стиль. Он отмечен гораздо более независимой партией фортепиано с более богатыми и изысканными гармониями. Эта перемена заметна в некоторых романсах ор. 34, но окончательно выявляется в шести романсах ор. 38. Вполне возможно, что решающее влияние оказал на него Николай Метнер. Мы замечаем между двумя этими композиторами процесс взаимного обогащения, тем более удивительный, что начался он в сравнительно позднем возрасте. Шесть романсов ор. 34 посвящены прославленному русскому тенору Леониду Собинову, четыре — Шаляпину. Уже этот факт указывает на различные настроения, которые они передают. Среди романсов, посвященных Шаляпину, мы находим один великолепный, написанный в стиле баллады, «Со святым знаменем в крепких руках», в то время как среди романсов, посвященных Собинову, — страстный романс «Какое счастье» — может быть, самый очаровательный любовный романс из когда-либо написанных Рахманиновым. Последний романс этого цикла необычен но форме. Это «песня без слов» в буквальном смысле; романс назван «Вокализ» и посвящен знаменитейшей певице Неждановой, обладательнице колоратурного сопрано. Скромное и непритязательное название несправедливо по отношению к этой удивительной пьесе, отнюдь не являющейся обычным упражнением, но представляющей в высшей степени эмоционально выразительную арию. Восхитительно гибкая мелодическая линия, как величественный свод, перекрывает это вокальное сочинение с начала до конца в одном непрерывном проведении и является неоспоримым доказательством силы композитора как мелодиста, если такие доказательства вообще нужны. Без какого-то конкретного текстуального сходства мы можем найти в «Вокализе» родство с Арией Баха, которая течет в такой же незамутненной атмосфере божественного покоя. Эту пьесу «похитили» и рассматривают как свою собственность скрипачи. Может быть, они и правы, потому что гибкость звучания струнного инструмента выявляет звуковые эффекты этой изумительной кантилены гораздо лучше, чем голос певца самой высшей «школы».

Новое музыкальное содержание романсов ор. 38 определено подбором стихов, которые на сей раз принадлежат не созвездию русских поэтов-романтиков: Пушкину, Фету, Тютчеву, — но выбраны из творчества русских лирических поэтов, которые в 1905 году считались модернистами, а некоторые — декадентами. Это Александр Блок, Андрей Белый, Константин Бальмонт, Валерий Брюсов и даже поэт-футурист Игорь Северянин. Каждый из романсов — маленький шедевр, но один из них — «Маргаритки», — с его трелями соловья, стал, может быть, наиболее известным благодаря обработке Крейслера для скрипки. Позволю себе раскрыть тайну, заключающуюся в том, что сам композитор больше всего любит последний романс ор. 38, с искусным эффектом эха в конце, — лучший из всех написанных им романсов. Судя по тому, что Рахманинов предпочитает всем прочим романсы этого опуса, мы можем сделать предположение, что в дальнейшем он будет писать вокальные сочинения, развивая именно этот стиль.

Самое оригинальное из небольших произведений — это «Три русских песни» для хора и оркестра ор. 41. В первой из них с юмором рассказывается о трагическом событии: поворот, не часто встречающийся у Рахманинова.

Мы не можем сдержать улыбку, когда следим за трагической судьбой мухи, которая ведет своего дружка, серого селезня, через мост, а потом улетает прочь, оставляя его в слезах. Вторая представляет собой печальную любовную песню, а третья трактует древнюю как мир, но вечно молодую историю о старом ревнивом муже и его легкомысленной красавице жене — обе маленькие картины волнуют, они написаны рукой мастера.

Это последнее из светских произведений композитора. Об оценке их в России, принимая во внимание и случайную, и неизбежную враждебность, можно судить по тому факту, что практически все крупные произведения Рахманинова были удостоены премии имени Глинки, учрежденной петербургским покровителем искусств М.П. Беляевым. Для москвича это считалось невероятно почетно, особенно если вспомнить, что все члены жюри были известными музыкантами-петербуржцами. Как мы знаем, принятое в петербургских музыкальных кругах отношение к московским музыкантам было каким угодно, только не дружественным. Рахманинов удостаивался премии имени Глинки (достаточно солидная сумма для тех лет) в 1904 году за Второй фортепианный концерт, в 1906 году — за кантату «Весна», в 1908-м — за Вторую симфонию, в 1911-м — за симфоническую поэму «Остров мертвых» и в 1917 году — за симфоническую поэму для солистов, хора и оркестра «Колокола».

Рахманинов как автор духовной музыки заслуживает особенно сочувственного и тщательного рассмотрения, которое завело бы нас чересчур далеко. Мы можем позволить себе остановиться только на наиболее выдающихся произведениях. Первое духовное сочинение Рахманинова — «Литургию Иоанна Златоуста» ор. 31 — надо рассматривать как попытку проникнуть в собственные возможности обращения с обычными распевами Русской православной церкви и в результате как появление почти примитивного, в смысле привлекаемых средств, произведения. В этой «Литургии» ничто не предвещает приближения автора к созданию шедевра, равного которому трудно найти в русской церковной музыке. Я имею в виду «Всенощное бдение» ор. 37. Это произведение состоит из пятнадцати песней, девять из которых основаны на оригинальных литургических распевах, а шесть являются плодом воображения композитора. Но эти шесть настолько органично влились в произведение, что даже натренированные глаза и уши не сумеют обнаружить их без предварительной подсказки. Михаил Глинка мечтал о единстве европейской фуги с темами «Обихода» — источником русской литургической кантилены, — однако не добился создания желаемой комбинации. Если рассматривать такое сочинение, как «Всенощная», возникают сомнения, может ли искусственный союз двух гетерогенных элементов привести к искомому разрешению трудной проблемы стилистического единства. Рахманинов использует имитации, обращаясь с ними с большой осторожностью и благоразумием, и создает «стиль фуги». Его внимание сфокусировано на звуковом разнообразии, которое должно быть достигнуто в хоре, получении соответствующего эффекта и тех тональных требованиях, которым он подчиняет всю мощь своего владения коптрапунктом. Он должен был знать, что можно ждать от великолепных синодальных певчих, первых исполнителей Мессы, и как далеко он может зайти в своих требованиях к их возможностям. В результате песни Мессы *a cappella* «инструментованы» самым искусным образом и с поразительным обаянием. В то же время они строго сохраняют суровый дух русского церковного пения. Качества, которые приводят к созданию такого стиля, довольно трудно определить точно. Наверное, понадобилось бы написать целую монографию, чтобы исчерпывающе ответить на этот вопрос. Прежде всего мы находим здесь натуральную гармонизацию кантилены, сохраненную в древних церковных ключах; кроме того, присутствует специфическая динамика русского песнопения с его внезапными нарастаниями и *diminuendo*, едва слышными *pianissimo* и сильными акцентами. Наконец, мы обнаруживаем совершенное целомудрие и строгость фразировки, поразительно подходящие к бесстрастным голосам мальчиков из хора, трогательную простоту и чистоту звука и абсолютно безоговорочное подчинение стилю, который не допускает вторжения хоть одной сладкозвучной гармонии. К этому следует прибавить свободный и асимметричный ритм, уже упоминавшийся нами и подчиняющийся исключительно естественному ритму текста, а не временным границам. Мы знаем, что Рахманинов в совершенстве владеет этими ритмами и часто пользуется ими в светских произведениях. Знаниями и мастерством на этой ниве Рахманинов обязан главным образом краткому периоду, когда он жадно изучал древнерусские крюки — нотацию, вроде невменного письма — под руководством величайшего знатока этой довольно темной области средневековой музыкальной истории Степана Смоленского. Месса посвящена Смоленскому, пылкому и стойкому защитнику строгой традиции ранней русской церковной музыки. Тесная связь между сочиненной музыкой и ритуалом русской церкви может помешать наслаждаться широкому слушателю. Но он, безусловно, почувствует, что в творчестве Рахманинова это произведение достигает не меньшей, а, может быть, даже и большей высоты, чем «Колокола».

Имя Рахманинова уже давно прославлено во всем мире. Он стал мировой знаменитостью как пианист и как композитор. Те, кто хорошо знаком с творчеством композитора, не могут не сожалеть о том, что композиторская слава распространяется лишь на его Прелюдию до-диез минор, Второй и Третий фортепианные концерты, Элегию и несколько более поздних фортепианных пьес и романсов, в то время как за пределами России большинство его произведений еще не получили заслуженной оценки. Для такого недостаточно широкого признания всего творчества Рахманинова существуют три причины.

Первая — объективного характера. Она заключается в том, что Рахманинов как художник стоит на границе двух музыкальных, а может быть, и исторических эпох. На протяжении двух последних десятилетий изменения, потрясшие основы, на которых так долго покоилась музыка и из коих она выросла, произошли настолько быстро, что композитор, обладавший чувством столь высокой ответственности, как Рахманинов, не только оказался не в состоянии, но и не захотел следовать моде, особенно потому, что это так называемое «развитие» не следовало прямым курсом эволюции, но состояло из скачков вбок и гротескных искажений, неприемлемых для всякого, кто благоговейно относится к своему любимому искусству и больше всего беспокоится о его неприкосновенности.

В течение последних двадцати лет появилось множество божеств, которым сначала поклонялись и которые вскоре были сброшены со своих пьедесталов прямо на наших глазах! Даже двадцать лет тому назад прилежные молодые модернисты готовы были при первой возможности костить рахманиновские произведения на чем свет стоит и обращаться с композитором как с живым трупом или, соблюдая по мере возможности правила вежливости (которые нынешняя молодежь вовсе изъяла из своего обихода), в лучшем случае рассматривать его как последнего уцелевшего защитника великой, по безвозвратно уходящей музыкальной эпохи. В те времена ею музыка критиковалась с точки зрения скрябинского мистицизма, который считался единственной доктриной музыкальной эволюции и единственной надежной эстетической судьбой. Любой, кто хотел продемонстрировать в России свои «передовые» взгляды, проявлял горячий энтузиазм по отношению к Скрябину, чьи музыкальные мистерии и экстатические сочинения вошли в моду, в то время как всю музыку, включал рахманиновскую, двигавшуюся менее изощренными путями, было принято рассматривать свысока. Теперь близорукость такого подхода очевидна, и несостоятельность пророков того времени ничем не лучше, чем их предшественников. Колесо истории прокатилось по Скрябину быстрее, чем кто-либо мог предположить, и если его искусству суждено пережить возрождение, что вполне возможно, поскольку его чисто художественные заслуги слишком велики для того, чтобы оказаться забытыми, то к его учению как якобы единственному средству спасти будущее музыки уже никто не вернется. Сам Скрябин, который в один прекрасный день заявил о своей оппозиции и назвал себя «антиподом» Рахманинова в России, сегодня наверняка, останься он жив, поддержал бы веру Рахманинова в установившиеся музыкальные традиции и присоединился бы к нему в ведении непримиримой борьбы против всех видов «новаторства»; правда, он предпочитал, как и Рахманинов, следовать собственным путем, нисколько не интересуясь всеми новыми веяниями. Чему следовал Скрябин? Что стало с музыкальным экспрессионизмом? Где атональность? Где новый интеллектуализм четвертьтоновой музыки? Кануло и забыто! А ведь еще вчера все это казалось таким новым и многообещающим... Музыка тем временем развивается, и провозглашаются новые лозунги! Существуют такие натуры в музыке — это могут быть только индивидуальности гигантской внутренней силы, — которые не могут быть счастливы вне борьбы, для кого в шуме и ярости страстного конфликта заключается смысл жизни. Но существуют и другие, чья более благородная натура не позволяет им присоединиться к уличным скандалам ради чести их искусства. Они спокойно стоят и ждут, пока скандал уляжется. И только после того, как его время истекло и восстановился мир, выясняется, что их позиция была верна с самого начала. Именно таков Рахманинов, и в этом заключается одна из причин, по которой его музыка в настоящий момент уступает главное место на сцене модернистам. *Sub specie aeternitatis* — с точки зрения потомков — она предстанет, быть может, в другом свете и обретет свою истинную цену.

Вторая причина некоторого небрежения — специфически личностная. Говоря коротко: Рахманинов-пианист заслонил Рахманинова-композитора. Именно так некоторое время обстояло дело в России. Теперь это в равной степени справедливо для всего мира. Когда, подобно тому как это происходит с Рахманиновым, человек достигает огромного, несравненного мастерства в каком-то искусстве, ни его коллеги, ни публика не хотят поверить, что это уровень совершенства может быть частью — и не основной притом частью — его художественной индивидуальности в целом. Чтобы доказать этот закон, я могу привести кучу примеров, весьма печальных для тех, кого это касается, но, к сожалению, неизбежных. Достаточно вспомнить хотя бы о таком титане среди пианистов всего мира, как Ференц Лист, чья уравновешенная и привлекательная личность имеет немало сходных черт с Рахманиновым. При жизни Лист так и не дождался той оценки своего композиторского творчества, на которую он, как показало дальнейшее, имел полное право рассчитывать. И дело заключалось не только в том, что тень Рихарда Вагнера заслоняла композиторскую славу Листа, но его собственные пианистические достижения были столь невероятно высоки, что поглощали все внимание публики. В глазах современников художник-творец всегда уступает художнику-исполнителю. (Когда Роберт Шуман был в Санкт-Петербурге вместе со своей женой, знаменитой пианисткой, некто из высшего общества спросил его: «Вы тоже музыкант?») Эти примеры свидетельствуют о том, что пока современная публика признает Рахманинова гениальным пианистом, она пренебрегает им как одним из самых замечательных русских композиторов столетия.

Третья причина этого достойного сожаления факта, как ни странно это прозвучит, политическая. У создателя «Колоколов» нет дома. Он эмигрант. Он лишен публики, которой в первую очередь предназначены его произведения. У нас нет желания обсуждать на этих страницах неразрешимый вопрос о том, национальна или интернациональна музыка. Достаточно сказать, что музыка может быть интернациональным средством взаимного понимания, но, обладая чисто национальными чертами, заложенными почти в каждом музыкальном произведении, она более всего доступна пониманию народа, к которому принадлежит написавший ее композитор. Одинаковый психический склад, одинаковое культурное развитие под влиянием одних и тех же климатических и географических условий приводят, естественно, не только к тенденции одинаково реагировать на произведения искусства, но к такой же или, по крайней мере, схожей основе осмысления и выражения чувств и импульсов, вырабатывающихся в процессе и с целью создания произведения искусства. Рахманинов лишен самого ценного из резонаторов для его творческой деятельности, потому что везде, кроме России, он чужой. Америка действительно стала для него вторым домом, где он счастлив настолько, насколько это возможно при данных обстоятельствах, но определенная разница между духом русского и американского народов никуда не исчезает и ничем не может быть уравновешена, даже при условии самой искренней взаимной симпатии. Поэтому Рахманинов-композитор по-прежнему рассматривается и в Европе, и в Америке как более или менее «экзотическое растение». Интерес к нему может быть в лучшем случае преходящим; чужие беды обычно не воспринимаются как свои.

Настоящее слияние, такое, как у Чайковского с немецким народом, чрезвычайно редко. Это почти уникальный случай, и понадобились десятилетия, чтобы установился даже этот союз, основанный на конгениальности натур. Более того, теперь развитие подобных отношений значительно труднее, чем во времена Чайковского. Волна ограниченнейшего и довольно трусливого национализма распространяется по всему миру. Не только континенты ревниво начинают оберегать свое культурное и материальное достояние, но все маленькие государства, на которые распались крупные в результате мировой войны, следуют их примеру. Например, литовский композитор будет энергично протестовать, если его спутают, к примеру, с латышским, в то время как не так давно они оба были представителями одного большого государства — России. Я позволил себе это маленькое отступление, чтобы показать тяжелое положение композитора, оказавшегося вне родины, — положение, становящееся тем более нетерпимым из-за того, что его бывшие коллеги под давлением своего нынешнего правительства предпринимают смехотворные шаги, ведущие к бойкоту всех его произведений, и не позволяют им пересекать границы своего государства.

К счастью, Рахманинов не тот человек, который позволил бы увлечь себя в сторону от своих художественных целей. Мы с уверенностью ждем от него больших свершений; все еще впереди.

Несмотря на зловещее карканье, которое в последнее время становится все более настойчивым, музыка выживет (ни один здравомыслящий человек не станет спорить с этим), и у нас нет оснований опасаться за судьбу Рахманинова. Его имя как пианиста и композитора записано в анналах музыкальной истории несмываемыми буквами. До тех пор, пока будет существовать эта история, славным пребудет имя Рахманинова.

Послесловие

Книга воспоминаний Рахманинова, записанных Оскаром фон Риземаном, была издана в Лондоне в 1934 году.

Со страниц книги звучит голос нашего великого соотечественника Сергея Васильевича Рахманинова, рассказывающего о своем детстве, годах учения, первых шагах в качестве композитора, пианиста, дирижера, о драматических событиях и триумфах, сделавших его уже к тридцати годам гордостью и славой России.

«Воспоминания Рахманинова» являются неизменным источником всех биографий великого музыканта, написанных различными исследователями московского периода его жизни в дореволюционной России вплоть до той горькой минуты, когда в декабре 1917 года он покинул родину.

Расставание с отечеством трагической нотой звучало на протяжении всей жизни С. В. Рахманинова — он неоднократно возвратился к теме потери родины, которую любил безгранично.

Окруженный всеми возможными почестями, славой, восхищением, преклонением, ставший крупнейшей звездой, светилом на небосклоне музыкальной жизни Америки и Европы, осененный уже при жизни бессмертной славой во всех ипостасях своей деятельности — пианиста, композитора, дирижера, кумир публики Старого и Нового Света, Рахманинов в 1930 году в статье «Трудные моменты моей деятельности» пишет: «...гнет лег на мои плечи. Он тяжелее, чем что-либо другое, это чувство не было мне знакомо в молодости. У меня нет своей страны. Мне пришлось покинуть страну, где я родился, где я боролся и перенес все огорчения юности и где я наконец добился успеха»[1].

Книга, являющаяся подлинным рассказом С.В. Рахманинова о себе, ни разу не издавалась в СССР. Написанная на Западе, она как бы не существовала, «не замечалась», для нее не находилось места в издательских планах (хотя, повторяю, из нее черпали все, занимавшиеся Рахманиновым); да что говорить о книге, когда даже музыка С.В. Рахманинова подвергалась в свое время уничижительной критике, гонениям, имя его предавалось анафеме. И вот его слово пришло к нам.

Посредником в передаче воспоминаний С.В. Рахманинова стал музыкальный критик, дирижер и композитор Оскар фон Риземан, который на протяжении всей жизни Рахманинова достаточно тесно общался с композитором. Рахманинов интересовался его мнением о своих сочинениях, часто играл ему новые произведения, чему есть многочисленные свидетельства, которые мы находим в письмах С.В. Рахманинова. Вместе с С.В. Рахманиновым Оскар Риземан участвовал в различных акциях, направленных на еще большее оживление музыкальной жизни в дореволюционной России, которая, надо сказать, всегда била ключом.

---

[1] *Рахманинов С.* Литературное наследие. Т. 1. М., 1978. С. 105.

Ближайшие друзья С.В. Рахманинова А.Дж. и Е. Сваны в «Воспоминаниях о Рахманинове» так пишут о книге Риземана: «В Клерфонтене Рахманинов диктовал свою книгу Оскару Риземану. Эта книга — необходимое пособие для изучения русскою периода жизни Рахманинова. С большим настроением и силой рассказано в ней о ранних годах жизни и учения Рахманинова в Московской консерватории»[1].

Однако история создания книги не проста сама по себе. Об этом мы подробно читаем у отличавшейся строгостью суждений свояченицы Сергея Васильевича Софьи Александровны Сатиной, видного научного работника, ботаника, скончавшейся в 1975 году.

Несмотря на сложности, сопутствующие первому изданию книги, именно Софья Александровна и передала эту книгу в СССР, снабдив ее своими замечаниями и уточнениями, которые учтены в комментариях к настоящему переводу.

В своих воспоминаниях С.А. Сатина пишет: «В конце 20-х годов двое знакомых Сергея Васильевича начали усиленно просить его, чтобы он разрешил им написать его биографию и снабдил их необходимыми для этого сведениями. Один из них, англичанин, мистер Р. Холт, жил в Лондоне, другой, Г. Оскар фон Риземан, русский немец, — в Швейцарии. Просьбы их были настолько настойчивыми, что Сергей Васильевич наконец согласился им помочь. Не имея ни времени, ни охоты, ни даже возможности сделать это лично, так как Сергей Васильевич плохо помнил, когда происходило то или иное событие его жизни, он обратился за помощью к пишущей эти строки.

---

[1] Воспоминания о Рахманинове. Т. 2. М., 1961. С. 209.

Хотя и с большим трудом, но удалось путем сопоставления разных событий моей личной жизни, тесно связанной с семьей Рахманиновых, восстановить в хронологическом порядке все этапы жизни Сергея Васильевича в России. Руководящей нитью для восстановления прошлого служил список его сочинений, так как никакого материала под руками не было, все оставалось в России... все написанное относительно жизни Сергея Васильевича в России, после тщательной и долгой проверки, было про пущено через строгую цензуру Сергея Васильевича и послано на английском языке Р. Холту в Лондон и О. Риземану в Швейцарию. К манускрипту были приложены коекакие снимки из альбома с видами Ивановки.

Мистер Р. Холт биографии так и не написал. Риземан же, ознакомившись с присланным материалом, попросил у Сергея Васильевича разрешить приехать летом 1930 года в Клерфонтен.

Риземан, живший много лет в Москве, свободно говорил по-русски и знал лично Сергея Васильевича еще в России...

Для восстановления истины здесь уместно привести кое-какие подробности о том, как была написана эта книга. Она была напечатана в Англии на английском языке, и появление ее немало смутило Сергея Васильевича... В особенности, по мнению Сергея Васильевича и его близких, была недопустима одна из глав, где на протяжении нескольких страниц «Сергей Васильевич» бессовестно хвалил себя.

...Боясь, что Риземан умрет от волнений, и зная, что он очень ограничен в средствах и рассчитывал на книгу как на источник дохода, Сергей Васильевич на собственный счет произвел все изменения и сокращения в книге»[1].

Скромность Рахманинова переходила всякие границы. Уже в 1906 году Иван Бунин отмечал «большую сдержанность в характере моего высокого друга». Гениальный музыкант постоянно оставался верен неудовлетворенности собой; в письме к Е.И. и Е.К. Сомовым от 9 июля 1935 года мы читаем: «И всю-то жизнь я торопился. А в результате все же мало что хорошего сделал. Когда буду умирать, сознание это будет меня мучить!» Или в интервью: «Чем старше мы становимся, тем более теряем божественную уверенность в себе, это сокровище молодости, и все реже переживаем минуты, когда верим, что все сделанное нами — хорошо... мы тоскуем по тому чувству внутреннего удовлетворения, которое не зависит от внешнего успеха... В настоящее время я все реже бываю искренне доволен собой, все реже сознаю, что сделанное мною — подлинное достижение»[2]. Сплошь и рядом мы читаем, как Рахманинов заявляет, что из-за тех или иных причин играл «неважно», «плохо» или даже «как сапожник». И это пишет первооткрыватель высот виртуозного мастерства, сравнимый разве что с Листом, в котором счастливо уравновешивались два начала, творческое и исполнительское, гениальный, неповторимый пианист, с его ошеломляющей техникой, ею звуком, его демоническим ритмом, его неслыханной выразительностью. Стоит ли удивляться после этого, что все, что он волей-неволей говорил о своих успехах в консерватории или на сценах концертных и оперных залов, казалось ему

---

[1] Воспоминания о Рахманинове. Т. 1. М., 1961. С. 81—83.
[2] *Рахманинов С.* Указ. соч. С. 140.

нескромным. Нам же остается только пожалеть о тех сокращениях, которые сделал в книге Сергей Васильевич Рахманинов.

В то же время письмо к Риземану, предпосланное настоящей книге, свидетельствует о том, что Рахманинов все же принял ее. В конце 30-х годов он брал с собой в артистическую помимо нот и фотографий для автографов поклонникам и книгу Оскара фон Риземана.

Однако кроме «нескромности», как казалось Рахманинову, существовала и еще одна причина, вызвавшая неудовольствие и разочарование Рахманинова. Сергей Васильевич признавался, что в нем 85 процентов музыканта и лишь 15 — человека. Он надеялся найти в книге Риземана — критика и музыканта — анализ своего творчества, надеялся, что Риземан обратит все свое внимание на артистическую и композиторскую деятельность художника, а не ограничится простым описанием «еще здравствующего», по выражению С.А. Сатиной, человека.

И этот второй недостаток, по мнению Рахманинова, для нас, может быть, превращается в самое большое и уникальное достоинство книги.

Услышать живой голос Рахманинова! Что может быть дороже! Конечно же, это отнюдь не находится в противоречии с появлением томов музыковедческих и профессиональных исследований, которые посвящались, посвящаются и будут посвящаться изучению творчества гениального, исполненного вдохновения пианиста, композитора, дирижера.

Конечно, понятно желание творца получить компетентный анализ своей деятельности из уст критика, вызывавшего у него доверие. Тем более что на протяжении всей жизни Сергей Васильевич постоянно терзался, переходя от одной сферы своей деятельности к другой. Самозабвение, с которым он отдавался любой из них, не позволяло ему одновременно заниматься другой. В одном из его интервью мы читаем: «Когда я концертирую, то не могу сочинять... несколько раз пытался написать что-нибудь в промежутках между концертами и просто-напросто не мог сосредоточиться. А когда испытываю желание сочинять, мне необходимо сконцентрировать внимание только на этом. Но тогда я не могу дотрагиваться до инструмента. Когда же я дирижирую, не могу ни сочинять, ни играть... Я могу делать только что-то одно»[1].

Достигая поистине самых высоких вершин пианизма, сочинения, дирижирования, Рахманинов со своей невероятной взыскательностью, не обращая внимания на хвалебные оды, раздававшиеся в его адрес по всему миру, хотел услышать профессиональную критику. Наверное, такое желание великого композитора объяснялось еще и его глубоким неравнодушием к современной музыке, различным изыскам, к которым он относился весьма критически, почитая главным достоинством музыкального да и всякого другого искусства искренность, которой часто не находил в произведениях музыкального авангарда.

Какое счастье, что Риземан лишь в последней главе книги делает попытку проанализировать сочинения Рахманинова, — это уже сделали теперь другие. Нам же он донес голос Рахманинова, чего никто бы уже не сумел сделать, не появись в свое время «Воспоминания Рахманинова, записанные Оскаром фон Риземаном».

Рассказ Рахманинова о себе, искренний, безыскусный, бесценен для нас как свидетельство о Рахманинове

---

[1] *Рахманинов С.* Указ. соч. С. 77, 78.

самого Рахманинова. Ведь сегодня мы так заинтересованы в возвращении к нам его живого голоса, его интонаций, картины его воспоминаний о жизни в России до мига разлуки с ней навсегда.

Двоюродная племянница композитора З.Л. Прибыткова пишет: «Рахманинов-человек был выдающимся явлением. Все в нем было достойно удивления и любви. У него была большая человеческая душа, которую он раскрывал перед теми, кто умел понять его. Принципиальность его и в кардинальных, и в мелких жизненных вопросах была поистине достойна преклонения и подражания.

Он был высокоморальным человеком, с настоящим понятием об этике и честности. Требовательность и строгость его к себе были абсолютны. Кривых путей он не прощал людям и беспощадно вычеркивал их из круга своих привязанностей»[1].

Вслушиваясь в речь Рахманинова, мы улавливаем все черты его высокого душевного склада. И вновь хочется обратиться к словам современников. Вот как говорит о нем Гофман в интервью для американского журнала *The Etude* в ноябре 1944 года: «Никогда не было более чистой, святой души, чем Рахманинов. Вот почему он был великим музыкантом, а то, что у него были такие превосходные пальцы, явилось лишь чистой случайностью»[2].

Путь книги к нашему читателю оказался весьма драматичным. В течение пятидесяти лет она была недоступна для него, и хотя в самые святые для русского сердца минуты неизменно звучала и звучит музыка С.В. Рахманинова, его слово не открывали.

---

[1] Воспоминания о Рахманинове. Т. 1. М., 1961, С. 76

[2] «Советская музыка», 1957, № 4. С. 143—145.

З.А. Апетян, доктор искусствоведения и, безусловно, самый крупный исследователь жизни и творчества С.В. Рахманинова, впервые предложила мне перевести эту книгу в 1970-х годах, однако получила отказ в издательстве «Музыка», равно как и в 1980-е годы, когда собственноручно отнесла туда свою заявку.

Она была необыкновенно счастлива, что издательство «Радуга» охотно откликнулось на наше предложение опубликовать наконец биографию Рахманинова, фактически написанную им самим.

Между тем любое издательство могло бы смело довериться такому крупнейшему и бескорыстному исследователю литературного наследия Рахманинова, как З.А. Апетян. В течение многих десятилетий со свойственной ей невероятной научной добросовестностью она работала над литературным наследием великого композитора и в нелегкие для истины времена выпустила сначала двухтомное издание «Воспоминаний о Рахманинове», неоднократно переиздававшееся и пользующееся огромной любовью у почитателей творчества С.М. Рахманинова, а вслед за «Воспоминаниями о Рахманинове» и фундаментальный трехтомник «Литературного наследия» С.В. Рахманинова, включающий письма, статьи и интервью великого композитора.

Страстная, дотошная, суровая, аскетичная, педантичная во всем, что касалось любого слова С.В. Рахманинова, З.А. Апетян считала необходимым издать выпущенную Риземаном книгу.

З.А. Апетян привезла книгу из Соединенных Штатов Америки, где в Библиотеке Конгресса работала над рукописями С.В. Рахманинова. Она получила «Воспоминания» из рук С.А. Сатиной вместе с ее поправками. С.А. Сатина также выразила желание, чтобы книга была издана на родине композитора.

Комментарии к книге Оскара фон Риземана должна была сделать З.А. Апетян. Но успела лишь прочесть перевод. Она взялась за эту работу, когда на земле ее держала лишь сила несокрушимого духа, за месяц до своей кончины. Осенью 1990 года Заруи Апетовны Апетян не стало. Ушел человек, который мог во всякий момент ответить на вопрос, что делал Сергей Васильевич такого-то числа такого-то месяца такого-то года.

Радуясь предстоящему выходу книги, З.А. Апетян пометила на полях рукописи перевода все места, нуждающиеся в пояснениях. Галочки, поставленные З.А. Апетян, ее в буквальном смысле слова дрожащей рукой, дали мне возможность по ее указаниям сделать нужные замечания, опираясь на ее же труды.

Я считала своим долгом выполнить эту работу, тем более что, принимая участие в издании трехтомного «Литературного наследия» С.В. Рахманинова, была достаточно хорошо знакома с основными фактами его жизни и творчества.

Надеюсь, читателю доставит удовольствие услышать на страницах книги рассказ о себе нашего великого соотечественника.

Позвольте мне выразить безмерную благодарность и низко поклониться истинной подвижнице на пути исследования всего литературного наследия С.В. Рахманинова, бережно проследившей каждый его шаг, Заруи Апетовне Апетян и посвятить этот радостный труд ее незабвенной памяти.

Валентина Чемберджи, 1992

Комментарии

Предисловие

[1] «Похожий на замок, большой дом „Павильон“, защищенный от улицы невысокой изгородью... Широкая лестница открытой веранды вела в парк. Вид был очаровательным: зеленая лужайка перед домом, теннисный корт среди кустов, песчаные дорожки, обсаженные высокими старыми деревьями, ведущие в глубь парка, где был большой пруд, — все это походило на старинную русскую усадьбу. Парк граничил с летней резиденцией президента Франции. Маленькая калитка выходила на обширные земли для охоты: там росли сосны и водилось огромное количество кроликов. Рахманинов любил сидеть под соснами и наблюдать за играми и проказами зверьков». (*А. Дж. и Е. Сваны.* Воспоминания о Рахманинове. М., 1961.)

[2] Романсы ор. 26, 1906 г.; Симфония Ас 2 ор. 27. 1906 г.; Первая фортепианная соната ор. 28, 1906—1907 гг.; «Остров мертвых» ор. 29.1909 г. На автографе Первой сонаты для фортепиано ре минор ор. 28 имеется дата: «14 мая 1907 г., Дрезден»; на автографе симфонической поэмы

«Остров мертвых» ор. 29, посвященной Н.Г. Струве, — «Дрезден. 17 апреля 1909 г. Первая соната ор. 28 впервые была исполнена Рахманиновым в Москве 4 января 1909 г. в концерте Московского отделения Русского музыкального общества, а «Остров мертвых» под управлением автора был исполнен 18 апреля 1909 г. в симфоническом собрании Московского филармонического общества».

[3] *Беляев В.* С.В. Рахманинов. М., 1924.

Глава первая

[1] Василий Аркадьевич служил в Гродненском гусарском полку.

[2] Елена была выдана замуж за сына Иоанна III не братом своим, а отцом — Стефаном I.

[3] Знаменское было прикуплено к дарованному имению Козловского уезда Тамбовской губернии.

[4] Петр Иванович Бутаков скончался в 1877 г.

[5] Аркадий Александрович Рахманинов, дед С.В. Рахманинова, скончался в 1881 г.

[6] На начало 1880-х гг. приходятся невзгоды, обрушившиеся на семью Рахманиновых: разрушение материального благополучия семьи, продажа Онега и других имений, составлявших приданое матери.

Глава вторая

[1] А.И. Зилоти в 1885 г. было двадцать два года.

Глава третья

[1] Николай Сергеевич Зверев родился в 1832 г.

[2] Одиннадцати лет Александр Скрябин поступил во Второй Московский кадетский корпус в Лефортове.

[3] 1 октября 1884 г. состоялся сотый (юбилейный) спектакль «Демона» в Мариинском театре под управлением А. Рубинштейна.

[4] А.Г. Рубинштейн скончался в 1894 г.

[5] Речь идет о семье Сатиных.

[6] Первое исполнение симфонии «Манфред» в Москве состоялось 11 марта 1886 г.

[7] Чайковский переехал в Москву в 1866 г. по предложению Н.Г. Рубинштейна и с осени этого года стал профессором Московской консерватории (классы свободного сочинения, гармонии и инструментовки).

[8] В 1888 г. С.В. Рахманинов перешел на старшее отделение Московской консерватории в класс А.И. Зилоти (фортепиано), А.С. Аренского (гармония, позже каноны и фуга, инструментовка, свободное сочинение), С.И. Танеева (контрапункт строгого стиля).

[9] П.И. Чайковский присутствовал в экзаменационной комиссии Московской консерватории весной и 1888 г., и 1889 г. К этому времени Рахманинов сочинил ряд фортепианных произведений, в том числе три ноктюрна. Согласно авторским пометкам, первый ноктюрн фа-диез минор создавался 14—21 ноября 1887 г., Второй ноктюрн фа мажор — 22—25 ноября 1887 г. и Третий ноктюрн до минор — 3 декабря 1887 г. — 12 января 1888 г. К этому же периоду относится создание Романса, Прелюдии, Мелодии и Гавота. На титульном листе каждой из этих четырех пьес

Рахманинов поставил «ор. 1» и порядковый номер. Под опусом 1 значится также Первый концерт для фортепиано с оркестром фа-диез минор.

[10] П.А. Пабст преподавал в Московской консерватории с 1878 г. У него учились крупные музыканты: К.Н. Игумнов, А.Б. Гольденвейзер, С.М. Ляпунов и др.

[11] Руководя в течение двадцати лет (с 1885 г.) фортепианным классом Московской консерватории, В.И. Сафонов завоевал признание как выдающийся педагог. Среди учеников Сафонова пианисты и фортепианные педагоги, в том числе А.Н. Скрябин, Н.К. Метнер, Л.В. Николаев, И.А. Бекман-Щербина, И.А. Левин, Р.Я. Левина, Е.Ф. Гнесина, А.Ф. Гедике и др.

[12] *Танеев С.И.* Подвижной контрапункт строгого письма. / Ред. С.С. Богатырев. — Лейпциг, 1909.

[13] *Танеев С.И.* Учение о каноне. М., 1929. (Книга подготовлена и издана В.М. Беляевым.)

[14] В.И. Сафонов сменил С.И. Танеева на посту директора Московской консерватории в 1889 г.

[15] А.Н. Скрябин окончил Московскую консерваторию с золотой медалью в 1892 г. по классу фортепиано у В.И. Сафонова.

[16] Разрыв между В.И. Сафоновым и А.И. Зилоти, приведший к уходу Зилоти из Московской консерватории, произошел из-за ученицы класса Э.Л. Лангера, которая хотела перейти в класс А.И. Зилоти. Сафонов же, против ее желания, зачислил ее в свой класс, так как ученица эта, по утверждению Зилоти, была «прекрасный талант».

[17] Рахманинову был выдан диплом 29 мая 1892 г. за № 150, в котором было указано, что он окончил консерваторию по свободному сочинению (класс профессора

А.С. Аренского) и игре на фортепиано (класс профессора А.И. Зилоти).

[18] У Скрябина не сложились отношения с А.С. Аренским, и он прекратил заниматься, отказавшись от композиторского диплома.

Глава четвертая

[1] На семейном совете, устроенном в доме Сатиных сестрами отца Сергея Васильевича и А.И. Зилоти, В.А. Сатина была единственная, которая пожалела юного Рахманинова и не допустила, чтобы сын ее брата из-за ссоры со Зверевым, крутой нрав которого был известен всей семье, остался без пристанища и без копейки, один в Москве. Вопреки желанию других она настояла на том, что ему надо помочь, и предложила ему переехать к ней в Левшинский переулок на Пречистенке. Здесь его поместили в отдельной комнате, где он мог бы без стеснения продолжать свои занятия.

[2] А.Г. Рубинштейн вновь возглавил Петербургскую консерваторию, вел класс фортепиано, развивал бурную музыкально-просветительскую и организационную деятельность вплоть до 1891 г., когда вторично покинул консерваторию из-за травли, которой подверглась его деятельность со стороны прессы.

[3] Римский-Корсаков стал профессором Петербургской консерватории в 1871 г. (практическое сочинение, инструментовка).

[4] 21 мая 1891 г. состоялся годовой экзамен Рахманинова по фортепиано, после которого Рахманинов получил

диплом об окончании Московской консерватории по классу фортепиано.

[5] С.В. Рахманинов провел лето в имении Сатиных Ивановке. Он заехал в Знаменское только по дороге в Москву, осенью, чтоб проведать свою бабушку Варвару Васильевну Рахманинову.

[6] Первая редакция Первого фортепианного концерта С.В. Рахманинова была завершена в 1891 г. Это сочинение Рахманинов обозначил как ор. 1.

[7] Из этих сочинений при жизни С.В. Рахманинова был издан только Первый концерт.

[8] Выпускной экзамен по композиции состоялся 7 мая 1892 г. Рахманинову была присуждена «Большая золотая медаль».

[9] Такая награда по классу композиции присуждалась до С.В. Рахманинова Танееву и Корещенко.

[10] Первая часть Первого фортепианного концерта ор. 1 С.В. Рахманинова была исполнена автором в сопровождении ученического оркестра под управлением В.И. Сафонова в концерте Московской консерватории в пользу недостаточных учащихся 17 марта 1892 г. Этот концерт был закончен в партитуре 6 июля 1891 г.

[11] Впервые Трио было исполнено 30 января 1892 г. в Москве автором, скрипачом Д.С. Крейном и виолончелистом А.А. Брандуковым.

[12] В 1893 г. Гутхейлем были изданы следующие романсы ор. 4 С.В. Рахманинова: «О нет, молю, не уходи» на слова Д. Мережковского; «Утро» на слова М. Янова; «В молчанье ночи тайной» на слова А. Фета; «Не пой, красавица» на слова А. Пушкина; «Уж ты, нива моя» на слова А. Толстого; «Давно ль, мой друг» на слова А. Голенищева-

Кутузова, а также опера «Алеко», к которой он добавил две виолончельные пьесы (Прелюдия и Восточный танец).

[13] В сезоне 1891/1892 гг. Сафонов исполнил интермеццо, а в 1892/1893 гг. — танцы из онеры «Алеко».

[14] Первое представление оперы «Алеко» Рахманинова в Москве состоялось в Большом театре 27 апреля 1893 г.

Глава пятая

[1] Согласно замечанию С.А. Сатиной, Лысиков, в имении которого С.В. Рахманинов провел лето 1893 г., был харьковским купцом, а не московским.

[2] Лето 1893 г. оказалось чрезвычайно плодотворным для С.В. Рахманинова. В три-четыре месяца композитор написал: духовный концерт «В молитвах неусыпающую Богородицу» (сочинение не было напечатано, но Синодальный хор исполнил его в концерте 12 декабря 1893 г.); Фантазию для двух фортепиано в четырех частях ор. 5 (посвящена Чайковскому); две пьесы для скрипки и фортепиано ор. 6; шесть романсов ор. 8; симфоническую фантазию «Утес» ор. 7. Она была исполнена Сафоновым 20 марта 1894 г. в девятом симфоническом собрании.

[3] В одной из своих статей под заголовком «Многообещающий талант» Л. Амфитеатров назвал некоторые из фортепианных пьес ор. 3 (Прелюдия до-диез минор, «Элегия», «Мелодии», «Полишинель», «Серенада») шедеврами.

[4] Первое исполнение Фантазии для двух фортепиано в четыре руки ор. 5 С.В. Рахманинова состоялось 30 ноября 1893 г. в Москве в Малом зале Благородного собрания в концерте П.А. Пабста при участии Рахманинова. П.И. Чайковский скончался 25 октября 1893 г.

[5] Опера «Алеко» С.В. Рахманинова впервые была поставлена в Киеве в 1893 г. артистами Русской оперы. Первыми двумя спектаклями, состоявшимися 18 и 21 октября, дирижировал сам С.В. Рахманинов.

[6] На автографе Элегического трио «Памяти великого художника» для скрипки, виолончели и фортепиано ор. 9 Рахманинова имеются даты: 25 октября (день смерти Чайковского) — 15 декабря 1893 г. Первое исполнение Трио при участии автора, скрипача Ю.Э. Конюса и виолончелиста А.А. Брандукова состоялось 31 января 1894 г. в Москве в Малом зале Благородного собрания.

[7] Концертная поездка Рахманинова с Терезиной Туа, начавшаяся в ноябре 1895 г., была намечена по следующему маршруту: Лодзь — Белосток — Гродно — Вильно — Ковно — Минск — Могилев — Москва — Смоленск — Витебск — Рига — Либава; в декабре: Вильно — Двинск — Рига — Митава — Петербург — Дерпт — Ревель — Петербург — Псков — Нижний Новгород.

[8] 15 марта 1897 г. была исполнена Первая Симфония Рахманинова в одном из «Русских симфонических концертов» под управлением А.К. Глазунова.

[9] Имеются в виду следующие строки, которыми начинается рецензия Ц. Кюи, опубликованная в газете «Новости» и «Биржевой газете» № 75 от 17 марта 1897 г. под названием «Третий симфонический концерт»: «Если бы в аду была консерватория, если бы одному из ее даровитых учеников было задано написать программную симфонию на тему „семи египетских язв“ и если бы он написал симфонию вроде симфонии г. Рахманинова, то он бы блестяще выполнил свою задачу и привел в восторг обитателей ада...»

[10] Местонахождение автографа партитуры Первой симфонии ре минор ор. 13 до сих пор не обнаружено. В годы Великой Отечественной войны партитуру удалось восстановить по оркестровым голосам, найденным А.В. Оссовским в библиотеке Ленинградской государственной консерватории. На партиях имеется штамп: «Русские симфонические концерты». По этим партиям А.К. Глазунов и исполнял Симфонию в 1897 г. Кроме того, сохранился автограф четырехручного переложения Симфонии. После почти пятидесятилетнего перерыва Симфония была исполнена в Москве 17 октября 1945 г. в Большом зале Консерватории Государственным симфоническим оркестром СССР под управлением А.В. Гаука. Партитура Симфонии ор. 13 была издана Музгизом в 1947 г. под редакцией А.В. Гаука.

Глава шестая

[1] В Московской частной опере Рахманинов начал работать с первых чисел октября 1897 г.

[2] 12 октября 1897 г. Рахманинов дебютировал в качестве дирижера в опере «Самсон и Далила» К. Сен-Санса. За четыре месяца своей работы в Московской частной опере Рахманинов должен был продирижировать десятью операми. Приходилось выступать с оперой (новой для Рахманинова-дирижера) каждые две три недели, а то и два дня подряд. Так, только первые выступления Рахманинова состоялись: в 1897 г. — 12 октября («Самсон и Далила» Сен-Санса), 19 октября («Русалка» Даргомыжского), 28 ноября («Кармен» Бизе), 8 декабря («Орфей» Глюка), 11 декабря («Рогнеда» Серова), 12 декабря («Миньон» Тома), 21 дека-

бря («Аскольдова могила» Верстовского); в 1898 г. — 30 января («Майская ночь» Римского-Корсакова), 12 февраля («Вражья сила» Серова).

[3] Первое зарубежное выступление С.В. Рахманинова состоялось в концерте Лондонского симфонического общества в качестве пианиста и дирижера 19 апреля 1899 г.

[4] На автографе романса «Судьба» ор. 21 № 1 на слова А. Апухтина имеется дата: «18 февраля 1900 г.» — и надпись: «Федору Ивановичу Шаляпину посвящает его искренний почитатель С. Рахманинов. 21 февраля 1900 г.». Романс был впервые исполнен Шаляпиным 9 марта 1900 г.

[5] Осенью С.В. Рахманинов с женой вернулся в Москву и поселился в квартире на Воздвиженке, дом Фаста, кв. 4. С.А. Сатина пишет: «Рахманиновы переехали в дом Первой женской гимназии через два или три года после свадьбы. Их первая квартира была на Воздвиженке в том же доме, где были меблированные комнаты „Америка“, в которых жил когда-то С.В. Рахманинов».

Глава седьмая

[1] Выступления в Вене и Праге состоялись в декабре 1902 г. (Второй концерт для фортепиано с оркестром, дирижер Сафонов.)

[2] С.В. Рахманинов начал работать в Большом театре в качестве дирижера (первое выступление — в опере «Русалка» в 1904 г.).

[3] 21 сентября 1904 г. состоялся торжественный спектакль «Жизнь за царя» под управлением Рахманинова к 100-летию со дня рождения М.И. Глинки.

[4] В Большом театре под управлением Рахманинова первое исполнение «Евгения Онегина» состоялось 10 сентября 1904 г. Это был 205-й спектакль со времени первого исполнении оперы на сцене этого театра. 15 октября 1904 г. впервые под управлением Рахманинова была исполнена в Большом театре «Пиковая дама», а 26 октября 1904 г. давался сотый спектакль со времени первого исполнения этой оперы в Большом театре.

[5] Впервые в Большом театре были исполнены под управлением Рахманинова: 27 сентября 1905 г. опера Н.А. Римского-Корсакова «Пан воевода» и 11 января 1906 г. оперы самого Рахманинова — «Скупой рыцарь» op. 24 и «Франческа да Римини» op. 25.

[6] Н.А. Римский-Корсаков работал над оперой «Сказание о невидимом граде Китеже и деве Февронии» в 1902—1904 гг.

[7] Жизнь П.И. Чайковского. Т. I-III. Москва: Лейпциг, 1900—1902.

[8] С.В. Рахманинов отказался продолжать работу в Большом театре в июне 1906 г.

Глава восьмая

[1] 26 мая 1907 г. состоялось выступление С.В. Рахманинова в качестве пианиста и дирижера в одном из «Русских симфонических концертов», организованном С.П. Дягилевым в Париже (Второй концерт для фортепиано с оркестром, кантата «Весна», солист Ф.И. Шаляпин).

[2] Чешский квартет — один из выдающихся камерных ансамблей Европы — был связан творческой дружбой

с русскими музыкантами и композиторами. Во время исполнения Рахманиновым совместно с участниками этого квартета своего «Элегического трио» ор. 9 в его состав входили: скрипачи К. Гофман и И. Сук, альтист И. Герольд и виолончелист Г. Виган.

[3] Десятилетие со дня основания Художественного театра отмечалось 15 октября 1908 г. Вспоминая об этом юбилее, К.С. Станиславский писал: «Представители всех театров, всех культурных учреждений явились приветствовать нас: говорили речи, читали прозу и стихи, танцевали, оперные певцы пели хором целую кантату, а Ф.И. Шаляпин исполнил музыкальное письмо Рахманинова к Станиславскому, присланное из Дрездена, очень талантливую музыкальную шутку, которую неподражаемо и грациозно передал Федор Иванович.

„Дорогой Константин Сергеевич, — пел он, — я поздравляю Вас от чистого сердца, от самой души. За эти десять лет Вы шли вперед, все вперед и нашли «Си-и-ню-ю пти-цу», — торжественно прозвучал его мощный голос на церковный мотив «Многие лета», с игривым аккомпанементом польки Саца из «Синей птицы». Церковный мотив, сплетенный музыкально с детской полькой, дал забавное соединение“ (*Станиславский К. С.* Моя жизнь в искусстве. М., 1954. С. 477).

[4] Концертная поездка в Крым с артистами Московской частной русской оперы состоялась в сентябре 1898 г.

[5] Концерт памяти Ильи Саца под управлением Рахманинова состоялся 23 ноября 1912 г.

[6] С.В. Рахманинов с женой и двумя дочерьми окончательно покинул Дрезден весной 1909 г.

[7] За три года, проведенные за границей, Рахманинов каждое лето с семьей возвращался в Ивановку.

[8] В последние годы перед войной тесть С. В. Рахманинова А.А. Сатин, которому принадлежало имение, совершенно отказался от ведения хозяйства, и все заботы о нем целиком легли на Рахманинова.

[9] 28 и 30 ноября 1909 г. в Нью-Йорке под управлением В. Дамроша Рахманинов сыграл в первый раз свой Третий фортепианный концерт, посвященный Иосифу Гофману.

Глава девятая

[1] 3 сентября 1909 г. — 27 января 1910 г. — концертная поездка по США и Канаде (Нортхемптон, Филадельфия, Балтимор, Нью-Йорк, Бостон, Чикаго, Торонто).

[2] Третий концерт был сыгран С.В. Рахманиновым в Нью-Йорке 16 января 1910 г. под управлением Густава Малера.

[3] В Филадельфии С.В. Рахманинов дирижировал своей Второй симфонией, а также сочинениями Чайковского и «Ночью на Лысой горе» Мусоргского.

[4] 6 февраля 1910 г. Рахманинов уже играл в Петербурге свой Второй концерт и Вторую сюиту с А.И. Зилоти в его концертах, а в Москве 13 февраля — свой Второй концерт тоже под управлением А.И. Зилоти.

[5] С.В. Рахманинов работал в качестве вице-президента главной дирекции ИРМО с весны 1909 г. по весну 1912 г.

[6] С.А. Сатина в своих замечаниях к книге пишет: «С.В. подал в отставку по другой причине: из-за разногласий с губернатором. С.В. очень ценил деятельность одного

из директоров музыкальных училищ РМО. Губернатор настаивал на его смещении из-за того, что он был евреем. С.В. не мог примириться с таким отношением к делу». (Речь идет об однокашнике С.В. Рахманинова М.Л. Пресмане. Конфликт разыгрался между ним — директором Музыкального училища в Ростове-на-Дону — и меценатами, вмешивавшимися в его работу и жаловавшимися на него в главную дирекцию РМО. Рахманинов разобрался в этом конфликте и установил полную правоту Пресмана.)

[7] Сезон 1909/1910 гг.: 29 концертов — 26 в Америке, 3 в России. Сезон 1910/1911 гг.: 27 концертов — 15 в России, 12 в Западной Европе. Сезон 1911/1912 гг.: 33 концерта — 22 в России, 11 в Западной Европе — и 6 оперных спектаклей в России. Сезон 1912/1913 гг.: 9 концертов в Москве. Сезон 1913/1914 гг.: 44 концерта — 36 в России, 8 в Англии.

[8] В 1912 г. С.В. Рахманинов принял место дирижера симфонических концертов Московского филармонического общества. Рахманинов постоянно выступал здесь как пианист и дирижер. Благодаря Филармоническому обществу Москва имела возможность слышать все новые вещи Рахманинова.

[9] «Литургия Иоанна Златоуста» была впервые исполнена хором Синодального училища под управлением Н.М. Данилина 25 ноября 1910 г. в Москве.

[10] А.Н. Скрябин уехал в Швейцарию в марте 1903 г., он жил в Италии, Франции, США и окончательно вернулся в Москву в 1910 г.

[11] 5 ноября 1911 г. под управлением Рахманинова были исполнены Симфония № 1 и Фортепианный концерт Скрябина.

[12] Симфонический концерт, в котором Скрябин под управлением Рахманинова играл впервые свой Концерт для фортепиано с оркестром ор. 20, состоялся 10 декабря 1911 г. в Большом зале Благородного собрания. В этом же концерте под управлением Рахманинова были исполнены произведения Чайковского (Симфония № 1) и Р. Штрауса (симфоническая поэма «Дон Жуан»). Это было пятое симфоническое собрание Московского филармонического общества.

[13] Зимой 1913 г. Рахманинов прервал концерты и, чтобы отдохнуть от непрерывной работы, выступлений и волнений, уехал в Швейцарию, а весной переехал в Рим.

[14] Летом 1915 г. Рахманинов, возвратившись в Ивановку, с большим увлечением работал над симфонической поэмой «Колокола» по поэме Эдгара По в переводе К. Бальмонта.

[15] 30 ноября 1913 г. состоялось первое исполнение симфонической поэмы «Колокола» в Петербурге под управлением автора. 3 февраля 1914 г. состоялась премьера сочинения в Москве, также под управлением автора.

Глава десятая

[1] Относительно работы С.В. Рахманинова в закрытых учебных заведениях существуют следующие сведения: С.В. Рахманинов поступил на службу в качестве учителя музыки согласно постановлению Совета Мариинского училища дамского попечительства о бедных в Москве 18 марта, приступил к работе 1 сентября 1894 г. и был уволен по собственному желанию 1 сентября 1901 г.

[2] В ноябре и декабре 1914 г. С.В. Рахманинов принимал участие в концертах С.Л. Кусевицкого в Киеве, Харькове, Москве — это были концерты в пользу раненных на войне.

[3] Первое исполнение «Всенощного бдения» в Москве хором Синодального училища под управлением Н.М. Данилина состоялось 10 марта 1915 г.

[4] Простудившись на похоронах Скрябина, С.И. Танеев уехал 2 июня 1915 г. в Дюдьково, где 6 июня скончался.

[5] С октябри по декабрь 1915 г. С.В. Рахманинов выступал с концертами из произведений А.Н. Скрябина в Ростове-на-Дону, Тифлисе, Москве, Петрограде, Киеве.

[6] С.В. Рахманинов исполнил Концерт для фортепиано с оркестром А.Н. Скрябина в Петрограде (дирижировал А.И. Зилоти) 26 декабря 1915 г.

[7] 25 марта 1917 г. состоялось последнее выступление С.В. Рахманинова в Москве с оркестром. Он исполнил свой Второй концерт, Первый концерт Чайковского и Первый концерт Листа.

[8] На автографе партитуры второй редакции Первого концерта ор. 1 имеется дата: 10 ноября 1917 г.

[9] В 1917 г. состоялись концертные выступления Рахманинова в Копенгагене, Осло, Стокгольме.

Глава одиннадцатая

[1] Рахманиновы выехали 1 ноября 1918 г. из Христиании в Нью-Йорк на небольшом норвежском пароходе «Бергенсфиорд».

[2] Рахманиновы поселились на шумном и бойком месте на углу 59-й и 5-й авеню в отеле «Незерланд». В первую

же ночь по приезде все они были разбужены каким-то диким шумом и гамом толпы на улице. Казалось, что все население города сошло с ума. Из утренних газет Рахманиновы узнали, что люди радовались пришедшему ночью известию о заключении мира 11 ноября 1918 г.

[3] С.В. Рахманинов отклонил несколько выгодных в финансовом отношении предложений от различных фортепианных фирм и остановился на фирме «Стейнвей и сыновья», которая бесплатно предоставляла артистам свои инструменты, но денег артистам никогда не платила. Качество роялей было несравненно выше любых других. Во главе фирмы стоял в те годы Фридерик Стейнвей, ставший вскоре одним из самых близких друзей Рахманинова и членов его семьи.

[4] В сезоне 1918/1949 гг. в репертуаре С.В. Рахманинова были сочинения Баха, Бузони, Бетховена, Гайдна, Листа, Моцарта, Рахманинова, Чайковского, Шопена и т. д.

[5] Вилла «Сенар» (название представляет собой соединение аббревиатур Сергей, Наталия Рахманиновы) была сооружена в Швейцарии недалеко от Люцерна, на берегу Фирвальдштатского озера, согласно проекту, разработанному С.В. Рахманиновым совместно с архитекторами. К началу августа 1931 г. был готов флигель, и С.В. с женой поспешили из Клерфонтена в Швейцарию, где прожили тогда всего около двух недель, так как приближался концертный сезон и надо было возвращаться в Америку. С нетерпением дождавшись окончания сезона, С.В. с женой снова поспешили в Швейцарию, чтобы иметь возможность лично следить за кипевшей в имении работой. На вилле «Сенар» Рахманиновы проводили каждое лето вплоть до 1939 г.

[6] В сезоне 1921/1922 гг. Рахманинов дважды играл в Англии.

[7] В сезоне 1924/1925 гг. в Европе состоялось 8 концертов из 69.

Сезон 1927/1928 гг. — в Европе 1 концерт (всего 32 — 31 в Америке).

Сезон 1928/1929 гг. — в Европе 26 концертов (всего 57 — 31 в Америке).

Сезон 1929/1930 гг. — в Европе 30 концертов (всего 54 — 24 в Америке).

Сезон 1930/1931 гг. — в Европе 22 концерта (всего 16 — 24 в Америке).

Сезон 1931/1932 гг. — в Европе 2 концерта (всего 29 — 27 в Америке).

Сезон 1932/1933 гг. — в Европе 4 концерта (всего 54 — 50 в Америке).

Сезон 1933/1934 гг. — в Европе 7 концертов (всего 32 — 25 в Америке).

Сезон 1934/1935 гг. — в Европе 27 концертов (всего 57 — 30 в Америке).

Сезон 1935/1936 гг. — в Европе 24 концерта (всего 59 — 35 в Америке).

Сезон 1936/1937 гг. — в Европе 13 концертов (всего 52 — 39 в Америке).

[8] Бóльшая (кроме записей 1919 г.) часть записей С.В. Рахманинова осуществлялась им в содружестве с фирмой *Victor*.

[9] «Три русские песни» ор. 41 для хора и симфонического оркестра. На автографе одной из них имеется пометка: «November 16 декабря 1926 г. New York». В основу этого произведения положены три песни. По сообщению

С.А. Сатиной, «одну из песен — „Ах ты, Ванька“ — Сергей Васильевич слышал от Ф.И. Шаляпина, который не раз пел ее Сергею Васильевичу, другую песню — „Через речку, речку быстру“ — Сергей Васильевич давно знал, увидев ее в каком-то сборнике. Третья песня — „Белолицы, румяницы вы мои“ — привлекла внимание Сергея Васильевича, когда он услышал ее в исполнении Н. Плевицкой».

[10] Концерт состоялся 18 марта 1927 г.

[11] Согласно замечаниям С.А. Сатиной, Риземан допускает здесь неточность: С.В. играл свой Четвертый концерт в Европе впервые не в 1931 г., а в 1929-м, в Лондоне, 18 ноября, с оркестром под управлением Коутса.

[12] 7 декабря 1931 г. С.В. Рахманинов впервые исполнил в Нью-Йорке «Вариации на тему Корелли».

[13] Статья за подписью Д. Г. напечатана в «Вечерней Москве» № 57 от 9 марта 1931 г. под заголовком «Колокола звонят».

КОЛОКОЛА ЗВОНЯТ
(об одном концерте в Консерватории)

Вы входите в зал, садитесь и начинаете слушать музыку. Церковное хоральное пение, то язычески-дикое, то мистически-жуткое. В начале вас пытаются повергнуть в «блаженный сон» «серебристыми» колокольчиками, истомными фразами скрипок, общим однообразно убаюкивающим движением; в конце — жутким отчаянием и завываниями, поданными на фоне церковной литургии, стараются привести к истерии, к сознанию своего и вообще людского ничтожества и всемогущества «ЕГО». Все это подано на фоне «звона». Самые разнообразные сорта и размеры «знаменитых» русских колоколов привлечены сюда, начиная от серебристых колокольчиков ямщицких троек и кончая «знаменитыми» московскими «сорока сороков». Звонят на самые разнообразные лады: ласково и нежно, уверенно-спокойно, торжественно-мерно, тяжело-похоронно, наконец с отчаянием, ужасом и тревогой перед надвигающейся стихийной катастрофой.

На сцене, кроме оркестра, — певцы, солисты, хор... Вы прислушиваетесь к тексту. Да, вы не ошиблись, перед вами проходят различные обрядовые сцены, широкая русская Масленица, свадьба (с грубейшей эротикой), похороны.

Вот эти и высшей степени интересные и многозначительные стихи, поющиеся певцами и хором:

Слышишь, сани мчатся в ряд,
Мчатся в ряд.
Колокольчики звенят,
Серебристым легким звоном слух наш сладостно томят.
Говорят они о том,
Что за днями заблужденья
Наступает возрожденье.
Слышишь, к свадьбе зов святой,
Зов святой, золотой, золотой.

Третья часть, несмотря на комизм изображения дьявола («кто-то черный там стоит и грохочет, и гремит») и общую мистичность, содержит некоторые «интересные» «философские» мысли. Например, насчет «бренности всего земного», в том числе и борьбы и необходимости «смертным» помнить об «упокоении» под сенью креста.

Последняя часть рисует «какую-то» колоссальную стихийную катастрофу, которую называют «пылающей громадой», «многошумным огнем» и т. д.

О набат, набат, набат.
Если б ты вернул назад
Этот ужас, это пламя, эту искру, этот взгляд,
Этот первый взгляд огня...
Только плакать о пощаде и к пылающей громаде
Вопли скорби обращать.
А меж тем огонь безумный
И глухой, и многошумный.

Люди, на которых обрушилась эта стихийная катастрофа «возмущения», сознают, что «спасенья им нет».

А теперь нам нет спасенья,
Всюду пламень и кипенье,
Всюду страх и возмущенье.

С удивлением вы смотрите по сторонам. Да, действительно, очень странная публика окружает нас: какие-то старики в длинных фраках и старушки в старомодных шелках, пахнущих нафталином, голые черепа, трясущиеся шеи, оплывшие паза, длинные перчатки, лорнеты.

Кто же автор этого текста, кто автор этой мистической музыки?

Музыка принадлежит эмигранту, ярому врагу Советской России Рахманинову. Слова (по Эдгару По) тоже эмигранту-мистику — Бальмонту. Дирижировал на концерте бывший дирижер Мариинского оперного театра Альберт

Коутс, в 1917 году покинувший Россию, а теперь приглашенный по заграничному паспорту.

Весь концерт в Большом зале консерватории носил весьма странный, если не сказать больше, характер.

Колокольный звон, литургия, чертовщина, ужас перед стихийным пожаром — все это так созвучно тому строю, который прогнил задолго до Октябрьской революции. Непонятно, для кого предназначен этот концерт? Не для обломков ли дореволюционной России, ужас которых нашел соответствующее выражение в тексте и музыке автора?

Интересно знать, отдавали ли инициаторы этого концерта себе отчет в том, что они преподносят слушателю?

Интересно, наконец, знать имена устроителей.

Д. Г.

Указатель имен

американо-советской дружбы: организатор Американо-советского музыкального общества (1946). 176, 257—258

Кюи Цезарь (1835—1918) — русский композитор, член «Могучей кучки». 16, 94, 97, 289

Лавровская Елизавета Андреевна (1845-1919) — русская певица (контральто), педагог. С 1888 г. — профессор Московской консерватории. 46

Ладухин Николай Михайлович (1860—1918) — композитор, профессор музыкально-теоретических дисциплин в Московской консерватории. 47—48

Лангевиц Генрих Федорович — импресарио. 93

Лассо Орланд (1532—1594) — франко-фламандский композитор, один из величайших мастеров полифонии так называемого строгого стиля XVI века, завершивший развитие полифонической нидерландской школы. 58

Ленский Александр Павлович (1847—1908) — русский актер, режиссер, педагог; с 1876 г. играл на сцене Малого театра в Москве. 39, 133

Лешетицкий Теодор (Федор Осипович) (1830—1915) — польский пианист и музыкальный педагог. Профессор Петербургской консерватории в 1862—1878 гг. 57

Ливен Александра Андреевна (?—1911) — княжна, председатель Дамского благотворительного тюремного комитета, Общества поощрения трудолюбия, благотворительного общества «Московский муравейник». 7, 100, 110, 112—113, 157, 176

Любатович Татьяна Спиридоновна (1859—1932) — русская певица (меццо-сопрано). Работая в Московской частной русской опере, была участницей всех оперных начинаний С.И. Мамонтова. 107

Маккензи Александр Кэмпбелл (1847—1935) — шотландский композитор, скрипач, дирижер, педагог, общественный деятель. В 1888—1924 гг. возглавлял Королевскую академию музыки в Лондоне. 109

Содержание

Рахманинов Сергей Васильевич

Воспоминания, записанные Оскаром фон Риземаном

Иллюстрированные биографии великих музыкантов

Идея серии Юрий И. Крылов

Заведующая редакцией *Юлия Данник*
Руководитель направления *Татьяна Чурсина*
Художественное оформление *Григорий Калугин*
Компьютерная верстка *Юлия Анищенко*
Корректор *Наталья Аратская*
Технический редактор *Татьяна Тимошина*

Общероссийский классификатор продукции ОК-005-93, том 2;
953000 — книги и брошюры.

Подписано в печать 06.10.2016. Формат $60\times90^1/_{16}$. Усл. печ. л. 20,0.
Доп. тираж 2000 экз. Заказ № Р-1218.

ООО «Издательство АСТ». 129085, РФ, г. Москва,
Звёздный бульвар, д. 21, стр. 3, ком. 5
Наш электронный адрес: www.ast.ru
www.ogiz.ru

«Баспа Аста» деген ООО
129085 г. Мәскеу, жұлдызды гүлзар, д. 21, 3 құрылым, 5 бөлме
Біздің электрондық мекенжайымыз: www.ast.ru
E-mail: astpub@aha.ru

Қазақстан Республикасында дистрибьютор және өнім бойынша арыз-талаптарды
қабылдаушының өкілі
«РДЦ-Алматы» ЖШС, Алматы қ., Домбровский көш., 3«а», литер Б, офис 1.
Тел.: 8(727) 2 51 59 89,90,91,92, факс: 8 (727) 251 58 12 вн. 107;
E-mail: RDC-Almaty@eksmo.kz

Өнімнің жарамдылық мерзімі шектелмеген.

Өндірген мемлекет: Ресей
Сертификация қарастырылмаған

Отпечатано в полном соответствии с качеством
предоставленного электронного оригинал-макета
в типографии филиала АО «ТАТМЕДИА»
«ПИК «Идел-Пресс».
420066, г. Казань, ул. Декабристов, 2.
E-mail: idelpress@mail.ru